Le plus grand humorist
est un auteur de Fantasy : est-ce l'effet du hasard ? Terry
Pratchett est né en 1948 dans le Buckinghamshire ; nous
n'en savons pas davantage sur ses origines, ses études ou
sa vie amoureuse. Son hobby, prétend-il, c'est la culture
des plantes carnivores, mais ceux qui croient ce qu'il dit
s'exposent à un rectificatif : d'après lui ce jardin secret
l'intéresse, mais nettement moins qu'on ne l'imagine ; on
ne peut pas vraiment le considérer comme accro à ce
périlleux passe-temps. Que dire encore de son programme
politique ? Il s'engage sur un point crucial : augmentons,
dit-il, le nombre des orangs-outans à la surface du globe,
et les grands équilibres seront restaurés. Voilà un écrivain
qui donnera du fil à retordre à ses biographes !

Sa vocation fut précoce : il publia sa première nouvelle
en 1963 — à quinze ans ! — et son premier roman en
1971. Hélas, il fut très tôt pressé par le souci de gagner
sa vie : journaliste (jusqu'en 1980) puis publicitaire au
Central Electricity Generating Board (1980-1987), il
apprit l'écriture sur le tas. D'emblée, il s'affirma comme
un grand parodiste : *La Face obscure du soleil* (1976)
tourne en dérision *L'Univers connu* de Larry Niven —
avec une touche plus personnelle de chatoiement à la Jack
Vance ; *Strata* (1981) ridiculise une fois de plus la hard
S.-F. en partant de l'idée — soutenue par Ptolémée — que
la Terre est effectivement plate.

Mais le grand tournant est pris en 1983. Pratchett publia
alors le premier roman de la série du Disque-Monde, qui
n'est pas seulement une variation (dans l'ordre des mots) sur
L'Anneau-Monde de Niven, mais surtout un pastiche héroï-
comique (dans l'ordre des choses) de Tolkien et de ses imi-
tateurs. Pourquoi eux ? Parce que, répond notre auteur, « la
S.-F., c'est la Fantasy... avec des boulons ». Et il le prouve !

Le plus grand humoriste anglais depuis P.G. Wodehouse

LE FABULEUX MAURICE ET SES RONGEURS SAVANTS

DU MÊME AUTEUR
CHEZ POCKET

LA FACE OBSCURE DU SOLEIL
STRATE-À-GEMMES

LE DISQUE-MONDE :
1. LA HUITIÈME COULEUR
2. LE HUITIÈME SORTILÈGE
3. LA HUITIÈME FILLE
4. MORTIMER
5. SOURCELLERIE
6. TROIS SŒURCIÈRES
7. PYRAMIDES
8. AU GUET !
9. ÉRIC
10. LES ZINZINS D'OLIVE OUED
11. LE FAUCHEUR
12. MÉCOMPTES DE FÉES
13. LES PETITS DIEUX
14. NOBLIAUX ET SORCIÈRES
15. LE GUET DES ORFÈVRES
16. ACCROS DU ROC
17. LES TRIBULATIONS D'UN MAGE EN AURIENT
18. MASQUARADE
19. PIEDS D'ARGILE
20. LE PÈRE PORCHER
21. VA-T-EN GUERRE
22. LE DERNIER CONTINENT

SCIENCE-FICTION
Collection dirigée par Bénédicte Lombardo

TERRY PRATCHETT

LE FABULEUX MAURICE
ET SES RONGEURS SAVANTS

Un roman du Disque-Monde

Illustrations de David Wyatt

*Traduit de l'anglais
par Patrick Couton*

L'ATALANTE

Titre original :

THE AMAZING MAURICE AND HIS EDUCATED RODENTS

© Terry & Lyn Pratchett, 2001
This edition is published by arrangement with Transworld Publishers, a division of The Random House Group Ltd. All rights reserved
© David Wyatt, 2001, pour les illustrations
© Librairie L'Atalante, 2004, pour la traduction française
ISBN : 978-2-266-18202-7

À D'niece,
pour le bon livre au bon moment.

Chapitre premier

> Un jour qu'il était méchant,
> monsieur Lapinou regarda par-dessus
> la haie dans le jardin de Fred le fermier
> et le vit rempli de laitues vertes nouvelles.
> Monsieur Lapinou, lui, n'avait pas de
> laitues. Il se sentit victime d'une injustice.

L'Aventure de monsieur Lapinou.

L es rats !
Ils pourchassaient les chiens et mordaient les chats, ils...

Mais il n'y avait pas que ça. Comme disait le fabuleux Maurice, ce n'était qu'une histoire de rats et d'hommes. Et le plus difficile, c'était de définir qui étaient les rats et qui les hommes.

Mais, d'après Malicia Crime, c'était une histoire sur les histoires.

Elle commença – du moins en partie – dans la malle-poste qui arrivait des cités lointaines de la plaine par-delà les montagnes.

C'était la portion de trajet que le cocher n'aimait pas. La route serpentait à travers les forêts et s'éboulait autour des montagnes. Des ombres épaisses se massaient entre les arbres. Il se croyait parfois suivi par des choses qui restaient juste à la limite de son champ de vision. Ça lui flanquait les chocottes.

Et au cours de ce trajet-là, les chocottes atteignaient des sommets : il entendait des voix. Il en était sûr. Elles venaient de derrière lui, du toit de la voiture, et il n'y avait rien d'autre là-haut que les gros sacs postaux en toile cirée et les bagages du jeune homme. Assurément rien n'était assez grand pour qu'un passager clandestin s'y cache. Mais il était sûr d'entendre de temps en temps de petites voix aiguës chuchoter.

Il ne transportait pour l'heure qu'un unique voyageur, un jeune homme blond qui lisait un livre, assis tout seul dans la voiture cahotante. Il lisait lentement et à voix haute en suivant les mots du doigt.

« Oubberwald, lut-il.

— C'est "Überwald" couina une petite voix criarde mais très claire. À cause des trémas, il faut prononcer une espèce de "uuu" long. Mais tu te débrouilles bien.

— Uuuuuuberwald ?

— Il ne faut pas exagérer non plus, petit, fit une autre voix qui avait l'air à moitié endormie. Mais tu connais le plus gros avantage de l'Überwald ? C'est très, très loin de Sto Lat. C'est très loin de Pseudopolis. C'est loin de tous les patelins où le commissaire du guet a juré de nous faire bouillir vivants s'il nous y revoit. Et le pays n'est pas très moderne. Mauvaises routes. Des tas de montagnes qui te barrent le chemin. La population ne bouge pas beaucoup à cette altitude. Alors les nouvelles ne se répandent pas très vite, tu comprends ? Et il ne doit pas y avoir de police. Petit, on peut faire fortune ici !

— Maurice ? fit doucement le gamin.

— Oui, petit ?

— Ce qu'on fait, à ton avis, ce n'est pas... tu sais... malhonnête, dis ? »

Une pause, puis la voix répondit : « Comment ça, malhonnête ?

— Ben... on leur prend leur argent, Maurice. » La voiture tangua et rebondit sur un nid-de-poule.

« D'accord, fit l'invisible Maurice, mais il faut te demander à qui on prend l'argent en réalité.

— Ben... le plus souvent au maire de la localité ou quelqu'un comme ça.

— Voilà ! Donc c'est... quoi ? Je te l'ai déjà dit.

— Euh...

— C'est l'argent du *gou-ver-ne-ment*, petit, fit Maurice d'un ton patient. Répète ça. L'argent du gou-ver-ne-ment.

— L'argent du gou-ver-ne-ment, répéta docilement le gamin.

— Voilà ! Et qu'est-ce que le gouvernement fait de son argent ?

— Euh... il...

— Il paye des soldats, dit Maurice. Il déclare des guerres. On a sûrement empêché des tas de guerres en prenant l'argent pour le mettre là où il ne peut pas nuire. La population nous dresserait des statues si elle réfléchissait un peu.

— Certains villages avaient l'air très pauvres, Maurice, objecta le gamin d'un ton dubitatif.

— Hé, justement, ils n'ont pas envie de guerres, alors.

— D'après Pistou, c'est... » Le gamin se concentra, et ses lèvres remuèrent avant d'articuler le mot, comme s'il testait tout seul la prononciation. « ... C'est pas é-thik.

— C'est vrai, Maurice, fit la petite voix aiguë. D'après Pistou, on ne devrait pas vivre de supercherie.

— Écoute, Pêches, l'humanité n'est que supercherie, répliqua la voix de Maurice. Les hommes aiment tellement se rouler les uns les autres à tout bout de champ qu'ils élisent des gouvernements qui le font pour eux. Ils écopent d'une invasion horrible de rats, ils payent un joueur de flûte, les rats sortent tous du patelin derrière le gamin, et hop-là, fin du fléau, tout le monde est content qu'on ne pisse plus dans la farine, le gouvernement est réélu par une population reconnaissante, tout le monde fête ça. De l'argent bien dépensé, je trouve.

— Mais s'il y a une invasion, c'est seulement parce qu'on le leur fait croire, objecta la voix de Pêches.

— Ben, ma chère, tous ces petits gouvernements dépensent aussi leur argent à payer des chasseurs de rats, sais-tu ? Je ne vois pas pourquoi je m'embête à te répondre, vraiment pas.

— Oui, mais on... »

Ils s'aperçurent que la voiture s'était arrêtée. Dehors, sous la pluie, les harnais tintèrent. Puis l'habitacle tangua un peu et ils entendirent quelqu'un s'en aller en courant.

Une voix dehors lança dans le noir : « Y a-t-y des mages là-dedans ? »

Les passagers échangèrent un regard ahuri.

« Non ? » répondit le gamin. Mais c'était un « non » qui voulait dire : « Pourquoi vous demandez ça ? »

« Et des sorcières ? fit la voix.

— Non, pas de sorcière.

— Bien. Est-ce qu'y a là-dedans des trolls armés jusqu'aux dents employés par la compagnie de transport ?

— Ça m'étonnerait », dit Maurice.

Suivit un silence uniquement meublé par la pluie.

« D'accord, et des loups-garous ? finit par reprendre la voix.

— À quoi ils ressemblent ? demanda le gamin.

— Ah, ben, ils ont l'air parfaitement normaux jusqu'au moment où il leur pousse, comme qui dirait, des poils, des dents, de grosses pattes, et qu'ils vous sautent dessus par la fenêtre, répondit la voix.

— On a tous des poils et des dents, fit le gamin.

— Vous êtes des loups-garous, alors ?

— Non.

— Bien, bien. » Suivit un autre silence pluvieux, comme si la voix invisible consultait une liste. « D'accord, des vampires, dit-elle. C'est une nuit de flotte, vous avez pas envie de voler par un temps pareil. Des vampires là-d'dans ?

— Non ! On est tous parfaitement inoffensifs ! répondit le gamin.

— Oh là là, marmonna Maurice qui rampa sous le siège.

— Ça me soulage, dit la voix. On est jamais trop prudent par les temps qui courent. Y a toutes sortes de gens bizarres. » Une arbalète fut introduite par la fenêtre et la voix lança : « La bourse *et* la vie. C'est le tarif deux en un, voyez ?

— L'argent est dans la valise sur le toit », fit la voix de Maurice depuis le plancher.

Le voleur de grand chemin fouilla des yeux l'intérieur sombre de la diligence. « Qui c'est qu'a dit ça ? demanda-t-il.

— Euh… moi, répondit le gamin.

— J'ai pas vu tes lèvres bouger, petit !

— L'argent est bien sur le toit. Dans la valise. Mais à votre place, je ne…

— Hah, sûrement, oui », fit le brigand. Son visage masqué disparut de la fenêtre.

Le gamin prit la flûte posée sur le siège près de lui. C'était un instrument du type flûtiau, comme on dit, de ceux qu'on appelle encore « à un sou », même s'il y a belle lurette qu'on ne les vend plus à ce prix-là.

« Joue *Vol avec voies de fait*, petit, dit tout bas Maurice.

— On ne pourrait pas simplement lui donner l'argent ? » demanda la voix de Pêches. C'était une petite voix.

« L'argent, on nous le donne à nous », répliqua durement Maurice.

Au-dessus d'eux, ils entendirent la valise racler le toit de la voiture lorsque le brigand la traîna pour la descendre.

Le gamin, obéissant, porta la flûte à ses lèvres et joua quelques notes. Une série de bruits s'ensuivit. Un grincement, un choc sourd, des échos de bousculade puis un cri très bref.

Ensuite plus rien. Maurice grimpa de nouveau sur le siège et passa la tête hors de la voiture dans la nuit sombre et pluvieuse.

« Bravo, dit-il. De la jugeote. Plus on se débat, plus ils mordent fort. Sans doute pas encore percé la peau ? Bien.

Avance un peu que je te voie. Mais doucement, hein ? On tient à ce que personne ne panique, pas vrai ? »

Le voleur de grand chemin réapparut dans la lumière des lampes de la diligence. Il marchait à pas très lents et prudents, les jambes bien écartées. Et il gémissait tout bas.

« Ah, te voilà, fit joyeusement Maurice. Sont montés direct dans les jambes de ton pantalon, c'est ça ? Un truc typique de rat, ça. Contente-toi de hocher la tête, parce qu'il ne faudrait pas les énerver. Inutile de te dire où ça pourrait se terminer. »

Le brigand hocha tout doucement la tête. Puis ses yeux s'étrécirent. « T'es un chat ? » marmonna-t-il. Puis ses yeux tourneboulèrent et le souffle lui manqua.

« Est-ce que je t'ai dit de parler ? fit Maurice. Moi, je ne crois pas, hein ? Le cocher s'est enfui ou tu l'as tué ? » La figure de l'homme resta sans expression. « Ah, tu apprends vite, j'aime ça chez un voleur de grand chemin, reprit Maurice. Tu peux répondre à cette question-là.

— S'est enfui », répondit l'homme d'une voix rauque.

Maurice ramena la tête dans la voiture. « Qu'esse t'en penses ? demanda-t-il. Une voiture, quatre chevaux, sans doute quelques objets de valeur dans le sac postal… peut-être mille piastres, voire davantage. Le gamin pourrait la conduire. Vaut le coup d'essayer, non ?

— Ça, c'est du vol, Maurice », dit Pêches. Elle était assise sur le siège à côté du jeune homme. C'était une rate.

« Pas vraiment du vol, fit Maurice. Plutôt… une trouvaille. Le cocher s'est enfui, ça équivaut donc à sauver des biens. Hé, c'est vrai, ça, on pourrait la ramener contre une récompense. C'est beaucoup mieux. Et c'est légal. On fait ça ?

— On va nous poser des tas de questions, objecta Pêches.

— *Yawlp*, si on la laisse là, quelqu'un la piquera, gémit Maurice. Un voleur va l'embarquer ! C'est mieux si c'est nous qui la prenons, hein ? Nous, on n'est pas des voleurs.

— On va la laisser là, Maurice, dit Pêches.

— Alors on fauche le cheval du brigand, fit le chat comme si la nuit ne pouvait pas se terminer décemment sans qu'ils volent quelque chose. Voler un voleur, ce n'est pas du vol parce que ça s'annule.

— On ne va pas passer la nuit ici, dit le gamin à Pêches. Là, il a raison.

— C'est vrai, confirma le brigand avec empressement. Vous allez pas y passer la nuit !

— C'est vrai, renchérit un chœur de voix depuis son pantalon, on ne va pas y passer la nuit ! »

Maurice soupira et sortit à nouveau la tête par la fenêtre. « D'accord, dit-il. Voilà ce qu'on va faire. Tu vas rester sans bouger d'un poil en regardant droit devant toi, et tu n'essayes pas de nous jouer un tour, parce que je n'ai qu'un mot à dire…

— Ne le dites pas ! implora le brigand avec encore davantage d'empressement.

— Très bien, mais on va te prendre ton cheval en guise de punition et, toi, tu peux prendre la voiture parce que ça, c'est du vol et que seuls les voleurs ont le droit de voler. Ça te paraît équitable ?

— J'suis d'accord avec tout ce que vous dites ! fit le brigand qui réfléchit alors à sa réponse et ajouta aussitôt : Mais, s'il vous plaît, dites rien ! » Il continuait de regarder droit devant lui.

Il vit le gamin et le chat descendre de voiture. Il entendit des bruits dans son dos tandis qu'ils lui prenaient son cheval. Il songea à son épée. D'accord, le marché allait lui rapporter toute une malle-poste, mais la fierté professionnelle, ça existe.

« Bon, fit la voix du chat au bout d'un moment, on va maintenant tous s'en aller, et tu dois promettre de ne pas bouger jusqu'à ce qu'on soit partis. Tu promets ?

— Ma parole de voleur, répondit le brigand en baissant lentement la main sur son épée.

— Bien. On te fait confiance », dit la voix du chat.

L'homme sentit son pantalon s'alléger tandis que des flots de rats en jaillissaient et détalaient, puis il entendit tinter un harnais. Il attendit un instant puis pivota sur place, dégaina son épée et se précipita en avant.

Très peu en avant, en tout cas. Il ne se serait pas étalé aussi brutalement par terre si on ne lui avait pas attaché ses lacets ensemble.

On le disait fabuleux. Le fabuleux Maurice, l'appelait-on. Il n'avait jamais voulu être fabuleux. C'était arrivé comme ça.

Il avait compris qu'il y avait quelque chose de bizarre ce fameux jour où, juste après le déjeuner, il avait contemplé un reflet dans une flaque et s'était dit : c'est moi, ça. Il n'avait encore jamais pris conscience de sa personne. Évidemment, il avait du mal à se remémorer ce qu'il se disait avant de devenir fabuleux. Son cerveau, lui semblait-il, devait tenir de la soupe.

Puis il y avait eu les rats qui vivaient sous le tas d'ordures dans un coin de son territoire. Il s'était aperçu que les rats jouissaient d'une certaine éducation lorsqu'il avait sauté sur l'un d'eux et que le rongeur lui avait lancé : « On ne pourrait pas en discuter ? » De quelque part, son nouveau cerveau fabuleux lui avait alors soufflé qu'on ne mange pas un être doué de la parole. Du moins, pas avant d'avoir entendu ce qu'il a à dire.

Le rat, c'était Pêches. Elle n'était pas comme les autres rats. De même que Pistou, Langues-de-Chat, Noir-mat, Pur-Porc, Grosses-Remises, Toxie et tous leurs copains. Mais, de son côté, Maurice n'était déjà plus comme les autres chats.

Les autres chats étaient soudain devenus bêtes. Maurice s'était plutôt mis à fréquenter les rats. Il pouvait discuter avec eux. Ça ne posait aucun problème tant qu'il ne s'oubliait pas à boulotter ceux de leur connaissance.

Les rats passaient des heures à s'inquiéter de la raison qui les avait rendus brusquement si malins. Pour Maurice, c'était perdre son temps. Des trucs arrivaient, un point c'est tout. Mais les rats n'en finissaient pas de se demander si c'était dû à quelque chose qu'ils avaient mangé sur le tas d'ordures, et même Maurice voyait que ça n'expliquait pas son propre cas, lui qui ne mangeait jamais d'ordures. Surtout de ce tas-là, quand on savait d'où ça venait…

Pour lui, les rats étaient franchement bêtes. Malins, d'accord, mais bêtes. Maurice vivait dans la rue depuis quatre ans, il ne lui restait plus grand-chose de ses oreilles, des balafres lui couvraient le museau, et lui était intelligent. Il roulait tellement des mécaniques quand il marchait qu'il devait ralentir pour ne pas s'étaler par terre. Quand il s'ébouriffait la queue, on devait la contourner. D'après lui, il fallait être intelligent pour vivre quatre ans dans ces rues, surtout au milieu de toutes les bandes de chiens et de fourreurs indépendants.

Il fallait aussi être riche. Les rats avaient besoin d'explications sur ce dernier point, mais Maurice avait pas mal bourlingué en ville et compris ce qui la faisait marcher; l'argent, selon lui, était la clé de tout.

Puis, un jour, il avait vu le gamin à l'air bête jouer de sa flûte, sa casquette posée par terre devant lui pour récolter quelques sous, et une idée lui était venue. Une idée fabuleuse. Elle s'était amenée comme ça, *boum*, d'un coup. Les rats, la flûte, le gamin à l'air bête…

« Hé, toi, le gamin à l'air bête ! avait-il lancé. Ça te dirait de faire fort… Nan, petit, je suis en dessous… »

Le jour se levait quand le cheval du brigand émergea de la forêt, franchit un col et qu'on le força à faire halte dans un bois fort à propos.

La vallée fluviale s'étendait en contrebas et un village se serrait contre les falaises.

Maurice s'extirpa tant bien que mal de la sacoche de selle et s'étira. Le gamin à l'air bête aida les rats à sortir de l'autre sacoche. Ils avaient passé tout le voyage tassés sur l'argent, même s'ils étaient trop polis pour avouer qu'ils ne tenaient pas à dormir dans une sacoche qu'occupait déjà un chat.

« Comment s'appelle ce village, petit ? » demanda Maurice qui observait la localité plus bas, assis sur un rocher.

Derrière eux, les rats recomptaient l'argent et le mettaient en piles près du sac qui l'avait contenu. Ils recommençaient tous les jours. Maurice n'avait pourtant pas de poches, mais quelque chose en lui poussait tout le monde à vérifier sa monnaie le plus souvent possible.

« Ça s'appelle Bad Igoince, répondit le gamin après avoir consulté le guide touristique.

— Hum… est-ce qu'on doit vraiment y aller ? Ce nom-là ne m'inspire pas confiance, fit Pêches en levant les yeux de ses comptes.

— Hah, ça n'est pas si terrible, lança Maurice. "Bad", c'est un mot étranger qui veut dire "bain", tu vois ?

— Donc c'est comme Bain-Igoince ? fit Langues-de-Chat.

— Nan, nan, plutôt Igoince-les-Bains parce que… (le fabuleux Maurice hésita, mais l'espace d'un instant seulement) parce qu'ils ont un bain, tu vois ? Très arriéré, par ici. Pas beaucoup de bains dans le coin. Mais les habitants en ont un et ils en sont fiers, alors ils veulent que tout le monde le sache. Faut sans doute acheter un billet d'entrée rien que pour y jeter un coup d'œil.

— C'est vrai, ça, Maurice ? » demanda Pistou. Il posa la question poliment, mais il était clair qu'il pensait en réalité : « Je ne crois pas que ce soit vrai, Maurice. »

Ah, oui… Pistou. Pistou n'était pas facile. Alors qu'il n'y avait pas de quoi. Dans le temps, se disait Maurice, il n'aurait même pas avalé un rat si petit, si pâle et d'aspect si maladif. Il baissa les yeux sur le petit rongeur albinos au pelage blanc neigeux et aux yeux rosâtres. Pistou ne le regarda pas parce qu'il était trop myope. Évidemment, vivre presque aveugle n'était pas un handicap pour une

espèce qui passait le plus gros de son temps dans l'obscurité et jouissait d'un odorat presque aussi performant,
d'après ce qu'avait compris Maurice, que la vue, l'ouïe et la
parole réunies. Par exemple, le rat se tournait toujours face
à Maurice et le regardait droit dans les yeux quand il parlait. C'était troublant. Maurice avait connu un chat aveugle
qui se cognait souvent dans les portes, mais Pistou, lui,
jamais.

Pistou n'était pas le patron des rats. Ça, c'était le boulot
de Pur-Porc. Pur-Porc était gros, féroce, un peu croûteux,
il n'appréciait que modérément d'avoir un cerveau dernier
cri et encore moins de discuter avec un chat. Il était déjà
assez âgé quand les rats avaient changé, comme ils disaient,
et lui se déclarait trop vieux pour ça. Il laissait les discussions avec Maurice à Pistou qui était né juste après le changement. Et ce petit rat était malin. Étonnamment malin.
Trop malin. Maurice devait faire appel à toute son astuce
quand il avait affaire à Pistou.

« C'est étonnant tout ce que je sais, fit Maurice en cli-
gnant lentement des yeux. En tout cas, le patelin n'est pas
mal. Il m'a l'air riche. Alors voilà ce qu'on va faire…

— Hum… »

Maurice détestait entendre ça. S'il y avait pire que Pistou
posant une de ses curieuses petites questions, c'était
Pêches se raclant la gorge. Ça voulait dire qu'elle s'apprê-
tait à faire une remarque, tout doucement, qui allait le
contrarier. « Oui ? lança-t-il sèchement.

— On a vraiment besoin de continuer ce numéro ?
demanda-t-elle.

— Ben, évidemment que non, répondit Maurice. Je n'ai
même pas besoin d'être là, moi. Je suis un chat, pas vrai ?

Un chat avec mes talents ? Hah ! J'aurais pu me trouver un boulot bien pépère avec un illusionniste. Ou un ventriloque peut-être. Il n'y a pas de limites à ce que je pourrais faire, figure-toi, parce que tout le monde aime les chats. Mais comme j'étais, tu vois, fabuleusement bête et gentil, j'ai préféré venir en aide à une bande de rongeurs qui sont, faut être franc, pas exactement les chouchous de l'homme. Maintenant, certains d'entre vous (et là, il jeta un regard jaune vers Pistou) ont en tête d'aller dans une île quelque part démarrer une espèce de civilisation ratière personnelle, ce que je trouve, vous savez, tout à fait admirable, mais pour ça il vous faut... Qu'est-ce que j'ai dit qu'il vous fallait ?

— De l'argent, Maurice, répondit Pistou, mais...

— De l'argent. Parfaitement, parce qu'avec de l'argent qu'est-ce que vous pouvez avoir ? » Il passa les rats en revue. « Ça commence par B, souffla-t-il.

— Des bateaux, Maurice, mais...

— Ensuite vous aurez besoin d'outils, et de manger, évidemment...

— Il y a les noix de coco, suggéra le gamin à l'air bête qui astiquait sa flûte.

— Oh, quelqu'un a parlé ? fit Maurice. Qu'est-ce que tu y connais, petit ?

— On trouve des noix de coco, répéta le gamin. Sur les îles désertes. Un gars qui en vendait me l'a dit.

— Comment on les trouve ? » fit Maurice. Il n'était pas sûr de lui en matière de noix de coco.

« Je ne sais pas. On les trouve comme ça.

— Oh, j'imagine que ça pousse dans les arbres, hein ? lança Maurice d'un ton sarcastique. Pfff, je ne sais vraiment pas ce que vous deviendriez sans... Quelqu'un peut me le dire ? » Il lança un regard noir au groupe de rats. « Ça commence par M.

— Toi, Maurice, répondit Pistou. Mais, tu vois, on trouve en réalité...

— Oui ?

— Hum », intervint Pêches. Maurice gémit. « Ce que veut dire Pistou, fit la rate, c'est que tous ces vols de grain et de fromage, tous ces trous qu'on ronge dans les murs, c'est... ben... » Elle leva les yeux dans ceux jaunes de Maurice. « Ce n'est pas moral.

— Mais c'est ce que font les rats ! rappela Maurice.

— Seulement, on pense qu'on ne devrait pas, dit Pistou. On devrait faire notre propre chemin dans le monde !

— Oh là là, oh là là, oh là là, se lamenta Maurice en secouant la tête. Cap sur l'île, hein ? Le royaume des rats ! Ne vous figurez pas que je me moque de votre rêve, s'empressa-t-il d'ajouter. Tout le monde a besoin de petits rêves. » Maurice y croyait aussi sincèrement. Quand on savait ce qu'autrui désirait vraiment, on en faisait à peu près ce qu'on voulait.

Il se demandait parfois ce que désirait le gamin à l'air bête. Rien, autant qu'il pouvait en juger, sauf qu'on lui fiche la paix et qu'on le laisse jouer de sa flûte. Mais... ben, c'était comme cette histoire de noix de coco. Régulièrement il sortait un truc qui laissait supposer qu'il avait tout écouté. De tels éléments sont durs à manipuler.

Mais les chats s'y entendent pour manipuler le monde. Un *miaou* par-ci, un *ronron* par-là, une légère pression de griffe... et Maurice n'avait encore jamais eu besoin de réfléchir à ça. Les chats n'ont pas besoin de réfléchir.

Seulement de savoir ce qu'ils veulent. C'est à l'homme de réfléchir. Il est là pour ça.

Maurice songea au bon vieux temps avant que son cerveau se mette à fulgurer comme un feu d'artifice. Il s'amenait à la porte des cuisines de l'Université, prenait son air câlin, et les cuisiniers tâchaient de deviner ce qu'il voulait. C'était incroyable ! Ils lui demandaient par exemple : « Il veut un bol de lait, le minou ? Il veut un biscuit ? Il veut ces bons restes, le minou ? » Et Maurice n'avait rien d'autre à faire qu'attendre patiemment une parole qu'il reconnaissait, comme « cuisses de dinde » ou « agneau haché ».

Mais il était sûr de n'avoir jamais rien mangé de magique. Des abattis de poulet magiques, ça n'existait pas, tout de même ?

C'est les rats qui avaient mangé de la magie. Le tas d'ordures qu'ils appelaient leur domicile mais aussi leur déjeuner se trouvait à l'arrière de l'Université, et c'était une université de mages, après tout. L'ancien Maurice ne prêtait guère attention aux gens sans bol à la main, mais il savait que les gros bonshommes en chapeaux pointus provoquaient d'étranges phénomènes.

Et il savait maintenant ce qui arrivait à tout ce qui ne leur servait plus. Ils le balançaient par-dessus le mur. Les livres d'enchantements déglingués, les bouts de chandelles dégoulinantes, les restes de mixture verte bouillonnante des chaudrons, tout finissait sur le gros tas aux côtés des boîtes en fer-blanc, des vieilles caisses et des déchets des cuisines. Oh, les mages avaient dressé des panneaux qui disaient *Danger* ou *Produits toxiques*, mais les rats ne savaient pas lire en ce temps-là et ils raffolaient des bouts de chandelles dégoulinantes.

Maurice n'avait jamais rien consommé dans ce tas. Il n'arrêtait pas de se poser la question, mais il en était sûr. Il avait une bonne devise dans la vie : ne jamais manger ce qui luit.

Mais il était aussi devenu intelligent, à peu près au même moment que les rats. C'était un mystère.

Il continuait depuis ce que les chats faisaient toujours. Il manipulait les gens. Certains rats comptaient maintenant aussi au nombre des gens, évidemment. Mais les gens restaient les gens, même quand ils avaient quatre pattes et s'affublaient de noms tels que Pistou, de ces noms qu'on se donne quand on apprend à lire avant de saisir le sens réel des termes, quand on déchiffre les étiquettes et les notices des vieilles boîtes de conserve rouillées et qu'un mot sonne bien à l'oreille.

L'ennui, quand on pense, c'est qu'une fois lancé on ne s'arrête plus. Et, de l'avis de Maurice, les rats pensaient beaucoup trop. Pistou n'était pas un cadeau, mais il était tellement occupé à ressasser des idées ridicules sur la façon dont les rats pourraient bâtir leur propre pays quelque part que Maurice arrivait à s'en dépatouiller. C'était Pêches la pire. L'astuce habituelle de Maurice qui consistait à parler vite pour embrouiller son monde ne prenait pas sur elle.

« Hum, recommença-t-elle, on pense que cette fois devrait être la dernière. »

Maurice écarquilla les yeux. Les autres rats reculèrent légèrement, mais Pêches soutint son regard.

« Ça doit être la dernière fois qu'on refait le coup de l'invasion de rats, dit Pêches. Un point, c'est tout.

— Et qu'est-ce qu'en pense Pur-Porc ? » fit Maurice. Il se tourna vers le chef qui les observait. C'était toujours une bonne idée d'en appeler à Pur-Porc quand Pêches donnait du fil à retordre, parce qu'il ne l'aimait pas beaucoup.

« Comment ça, ce que j'en pense ? demanda Pur-Porc.

— Je… Chef, je pense qu'on devrait arrêter cette supercherie, dit Pêches en baissant nerveusement la tête.

— Oh, tu penses aussi, hein ? fit Pur-Porc. Tout le monde pense, ces temps-ci. Je pense que ça pense beaucoup trop, voilà ce que moi je pense. On ne pensait pas à penser quand j'étais jeune. On n'arrivait à rien si on commençait par penser. »

Il jeta aussi à Maurice un regard mauvais. Pur-Porc n'aimait pas Maurice. Il n'aimait presque rien de ce qui était arrivé depuis le changement. Pour tout dire, Maurice se demandait combien de temps Pur-Porc allait rester chef. Il n'aimait pas penser. Il appartenait à une époque où un chef rat n'avait besoin que d'être gros et contrariant. Le monde allait beaucoup trop vite pour lui désormais, ce qui le mettait en rage.

Aujourd'hui il menait moins qu'il ne suivait le mouvement.

« Je… Pistou, chef, croit qu'on devrait penser à se ranger, chef », dit Pêches.

Maurice grimaça. Pur-Porc n'écouterait pas Pêches, et elle le savait, mais Pistou représentait ce que les rats avaient de plus approchant d'un mage, et même les gros rats l'écoutaient.

« Je croyais qu'on allait s'embarquer à bord d'un bateau et trouver une île quelque part, dit Pur-Porc. Les rats aiment beaucoup les bateaux », ajouta-t-il d'un air approbateur. Puis il reprit, en jetant un regard vaguement nerveux et ennuyé à Pistou : « Et on me dit qu'on a besoin de ce machin, là, l'argent, parce que maintenant, depuis qu'on brasse toutes ces pensées, il faut qu'on respecte une donto… une déton…

— Une déontologie, chef, intervint Pistou.

— Ce qui ne me paraît pas très rat. Mais mon avis ne compte pas beaucoup, j'ai l'impression.

— On a assez d'argent, chef, dit Pêches. On en a déjà gagné beaucoup. On a bien beaucoup d'argent, pas vrai, Maurice. » Ce n'était pas une question ; plutôt une accusation.

« Ben, quand tu dis beaucoup… commença Maurice.

— On a en fait davantage d'argent qu'on croyait », poursuivit Pêches sur le même ton. Un ton toujours très poli mais qui insistait et posait toutes les mauvaises questions. Une mauvaise question, pour Maurice, c'était celle qu'il ne voulait pas qu'on lui pose.

Pêches y alla encore de sa petite toux.

« Une chose me fait dire qu'on a davantage d'argent, Maurice : tu nous as en effet expliqué que les pièces dites d'or brillaient comme la lune, celles d'argent comme le soleil, et que tu te garderais celles d'argent. En réalité, Maurice, c'est l'inverse. Ce sont les pièces d'argent qui brillent comme la lune. »

Maurice lâcha intérieurement une obscénité en langue chat, une langue bien pourvue en la matière. À quoi bon avoir de l'instruction, se dit-il, si on s'amuse ensuite à s'en servir ?

« Alors on pense, chef, dit Pistou à Pur-Porc, qu'après ce tout dernier coup on devrait partager l'argent et partir chacun de notre côté. Et puis ça devient dangereux de toujours répéter la même combine. Il faut s'arrêter avant qu'il soit trop tard. Il y a une rivière ici. On devrait pouvoir rejoindre la mer.

— Une île sans humains ni *krllrrt* de chats serait l'idéal », dit Pur-Porc.

Maurice ne se départit pas de son sourire, et pourtant il savait ce que *krllrrt* voulait dire.

« Et on ne voudrait pas priver Maurice de son projet de numéro avec l'illusionniste », ajouta Pêches.

Maurice plissa les yeux. L'espace d'un instant, il fut sur le point de violer sa règle sacro-sainte de ne pas manger tout ce qui parlait. « Et toi, qu'est-ce que tu en penses, petit ? demanda-t-il en levant la tête vers le gamin à l'air bête.

— Je m'en fiche, répondit le gamin.

— Tu te fiches de quoi ?

— Je me fiche de tout, en fait. Du moment qu'on me laisse jouer de la flûte.

— Mais tu dois penser à l'avenir !

— J'y pense, répliqua le gamin. Plus tard, je veux continuer à jouer ma musique. Ça ne coûte rien de jouer. Mais les rats ont peut-être raison. Deux ou trois fois, on a failli être faits comme des rats, Maurice. »

Maurice jeta un regard pénétrant au gamin afin de vérifier s'il ne s'agissait pas d'une astuce de sa part, mais il n'avait encore jamais rien commis de tel. Le chat renonça. Enfin, pas exactement. Il n'était pas arrivé à sa position en baissant les pattes devant les problèmes. Il les mettait seulement de côté. Après tout, un fait nouveau survenait toujours. « D'accord, très bien, dit-il. On recommence encore une fois et on partage l'argent en trois. Très bien. Pas un problème. Mais si ça doit être la dernière fois, qu'elle soit au moins mémorable, hein ? » Il se fendit d'un grand sourire.

Les rats, de par leur nature, n'aimaient pas trop voir un chat sourire, mais ils comprenaient qu'une décision difficile venait d'être prise. Ils poussèrent de tout petits soupirs de soulagement.

« Ça te va comme ça, petit ? demanda Maurice.

— Je pourrai continuer de jouer de la flûte après ? s'inquiéta-t-il.

— Absolument.

— D'accord », lâcha le gamin.

L'argent, celui qui brillait comme le soleil et celui qui brillait comme la lune, fut soigneusement remis dans son sac. Les rats traînèrent le sac sous les buissons et l'enterrèrent. Nul n'enterre l'argent mieux qu'un rat, et ça ne servait à rien d'en emporter trop dans le village.

Ensuite il y avait le cheval. C'était un cheval de valeur, et Maurice rechignait beaucoup à le relâcher. Mais, ainsi que le fit remarquer Pêches, c'était celui d'un voleur de grand chemin, harnaché d'une selle et d'une bride abondamment ouvragées. Chercher à les vendre sur place serait dangereux. Les gens parleraient. Ce qui attirerait l'attention du gouvernement. Ce n'était pas le moment d'avoir le guet aux trousses.

Maurice s'avança au bord du rocher et laissa tomber son regard sur le bourg qui s'éveillait avec le lever du soleil. « On fait le coup du siècle, alors, hein ? dit-il lorsque les rats s'en revinrent. Je veux un maximum de couinements, des têtes grimaçantes et de la pisse partout, d'accord ?

— On pense que pisser partout, ce n'est pas vraiment... » commença Pistou. Mais un « hum » de Pêches le poussa à reprendre : « Oh, j'imagine, si c'est la dernière fois...

— J'ai pissé sur tout ce qui existe depuis que j'ai quitté le nid, dit Pur-Porc. Maintenant on me dit que ce n'est pas bien. Si c'est ça, penser, je suis bien content de ne pas m'y risquer.

— On va leur en mettre plein la vue, conclut Maurice. Des rats ? Ils s'imaginent avoir connu les rats dans leur ville ? Après notre passage à nous, ils en feront des romans ! »

Chapitre 2

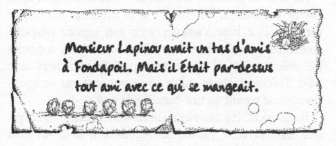

Monsieur Lapinou avait un tas d'amis à Fondapoil. Mais il était par-dessus tout ami avec ce qui se mangeait.

L'Aventure de monsieur Lapinou.

C'était ça le plan.

Et c'était un bon plan. Même les rats, même Pêches devaient reconnaître qu'il avait donné des résultats.

Tout le monde connaissait les invasions de rats. Des histoires fameuses couraient sur les joueurs de flûte qui gagnaient leur vie en passant d'une localité à l'autre pour leur proposer de les débarrasser des parasites. Bien entendu, il n'y avait pas que des invasions de rats : parfois on était infesté de joueurs d'accordéon, de briques attachées ensemble avec de la ficelle ou de poisson... mais c'étaient les invasions de rats que tout le monde connaissait.

Et ça se réduisait à ça, en réalité. On n'avait pas besoin de beaucoup de rats pour une invasion, surtout s'ils connaissaient leur affaire. Un unique rat qui surgissait ici et là, couinait à plein gosier, prenait son bain dans la crème fraîche et pissait par terre produisait une invasion à lui tout seul.

Au bout de plusieurs jours de ce traitement, c'était ahurissant comme les habitants étaient contents de voir le gamin à l'air bête s'amener avec son pipeau magique contre les rats. Et ils étaient ahuris quand les rongeurs jaillissaient à flots de tous les trous pour le suivre hors de la ville. Tellement ahuris qu'ils ne se posaient pas de questions en ne voyant qu'une centaine de rats.

Ils auraient été vraiment ahuris s'ils avaient découvert que les rats et le flûtiste se retrouvaient avec un chat quelque part dans les buissons à l'extérieur du village pour compter solennellement l'argent.

Bad Igoince s'éveillait quand Maurice entra avec le gamin. Nul ne les inquiéta, même si on s'intéressait beaucoup à Maurice. Ça ne le gênait pas. Il se savait intéressant. Les chats se déplacent de toute façon comme en terrain conquis, et le monde abonde assez en gamins à l'air bête pour qu'on ne fonce pas en voir un nouveau.

C'était, semblait-il, jour de marché, mais les étals étaient rares et vendaient principalement… disons, de la cochonnerie. De vieilles casseroles, de vieux pots, des chaussures usagées… de ces trucs qu'on doit vendre quand on est à court d'argent.

Maurice avait vu des tas de marchés durant la traversée d'autres localités, et il savait comment ça se passait normalement.

« Il devrait y avoir de grosses bonnes femmes qui vendent des poulets, dit-il. Et des marchands de confiseries pour les enfants, et de rubans. Des joueurs de bonneteau et des clowns. Et même des jongleurs de fouines, avec un peu de chance.

— Je ne vois rien de tel. Il n'y a presque rien à acheter, on dirait, confirma le gamin. D'après toi, c'était un village riche, Maurice.

— Ben, il avait l'air riche. Les champs immenses dans la vallée, les bateaux sur la rivière… on s'attendrait à voir les rues pavées d'or ! »

Le gamin leva les yeux. « Marrant, ça, dit-il.

— Quoi donc ?

— Les habitants ont l'air pauvres. C'est les maisons qui ont l'air riches. »

C'était vrai. Maurice n'était pas un expert en architecture, mais on avait délicatement sculpté et peint les bâtiments de bois. Il remarqua aussi autre chose. Il n'y avait rien de délicat dans l'écriteau cloué sur le mur le plus proche.

On recherche des rats morts !
50 sous la queue !
S'adresser aux chasseurs de rats
au Rathaus

Le gamin fixait l'écriteau.

« Ils doivent avoir vraiment envie de se débarrasser de leurs rats par ici, lança joyeusement Maurice.

« — Personne n'a jamais offert une récompense d'une demi-piastre la queue ! fit le gamin.

— Je te l'ai dit que ce serait le gros coup. On sera assis sur un tas d'or avant la fin de la semaine !

— C'est quoi un "Rathaus" ? demanda le gamin d'un air hésitant. "Haus", c'est bien une maison, non ? Ça ne peut pas être une maison pour les rats ? Et pourquoi est-ce que tout le monde te regarde ?

— Je suis beau de ma personne », répliqua Maurice. Tout de même, ça le surprenait un peu. Les passants se donnaient des coups de coude et le montraient du doigt. « On dirait qu'ils n'ont encore jamais vu de chat », marmonna-t-il en regardant fixement le grand bâtiment de l'autre côté de la rue. C'était un gros bâtiment carré entouré de monde, et le panneau annonçait : RATHAUS. « "Rathaus", c'est le terme local pour… comme l'hôtel de ville, la mairie, expliqua-t-il. Ça n'a rien à voir avec les rats, mais c'est amusant.

— Tu as vraiment beaucoup de vocabulaire, Maurice, fit le gamin d'un ton admiratif.

— Je me trouve moi-même fabuleux, des fois. »

Des villageois faisaient la queue devant une immense porte ouverte. D'autres, qui avaient sans doute accompli la tâche pour laquelle ils faisaient la queue, sortaient par une autre porte, seuls ou par deux. Tous portaient des miches de pain.

« On fait la queue aussi ? demanda le gamin.

— Ça m'étonnerait, répondit prudemment Maurice.

— Pourquoi ?

— Tu vois les types à l'entrée ? Pour moi, ce sont des gardes. Ils ont de gros bâtons. Et tout le monde leur présente un bout de papier en passant. Je n'aime pas ça. Ça m'a l'air gouvernemental.

— On n'a rien fait de mal. Pas ici, en tout cas.

— On ne sait jamais avec les gouvernements. Bouge pas d'ici, petit. Je vais jeter un coup d'œil. »

On regarda Maurice quand il entra dans le bâtiment d'un air arrogant, mais il était normal, dans un village infesté de rats, qu'un chat jouisse d'une certaine popularité. Un homme voulut le prendre et s'en désintéressa quand l'animal se retourna et lui griffa le dos de la main.

La queue serpentait jusque dans une grande salle et passait devant une longue table sur tréteaux. Là, chacun montrait son bout de papier à deux femmes devant une grande panière et se voyait remettre du pain. Puis on se présentait à un homme devant un bac de saucisses, et on recevait une quantité nettement moindre de cette dernière denrée.

Le maire surveillait les opérations et glissait de temps en temps un mot aux serveurs. Maurice le reconnut instantanément parce qu'il portait une chaîne d'or autour du cou. Il avait croisé beaucoup de maires depuis qu'il travaillait avec les rats. Celui-ci différait des autres. Il était plus petit, beaucoup plus inquiet et avait un début de calvitie qu'il s'efforçait de recouvrir de trois mèches de cheveux. Il était aussi beaucoup plus maigre que les autres maires qu'avait connus Maurice. Il ne donnait pas l'impression d'avoir été acheté en gros.

Donc… c'est la disette, se dit Maurice. L'heure est au rationnement. J'ai idée qu'ils vont avoir besoin d'un joueur de flûte d'un jour à l'autre. Une chance pour nous, on arrive juste à temps…

Il ressortit, mais un peu plus vite cette fois parce qu'il prenait conscience qu'on jouait de la flûte. C'était, comme il le craignait, le gamin. Il avait posé sa casquette par terre devant lui et avait même récolté quelques sous. La queue s'était incurvée afin qu'on puisse l'entendre, et deux ou trois petits enfants s'étaient même mis à danser.

Maurice ne s'y connaissait qu'en chant de chat, lequel consiste à se tenir sous le nez des autres chats et à leur brailler dessus jusqu'à ce qu'ils abandonnent. La musique humaine lui paraissait toujours grêle et insipide. Mais les badauds tapaient des pieds en entendant le gamin jouer. Ils avaient un moment le sourire aux lèvres.

Maurice attendit que le gamin ait terminé son air. Pendant que la queue applaudissait, il se glissa derrière le musicien, se frotta contre lui et souffla : « Bravo, cervelle de moineau ! On est censés passer inaperçus ! Allez, on s'en va. Oh, prends aussi l'argent. »

Il traversa la place puis s'arrêta si brusquement que le gamin faillit lui marcher dessus.

« Hou-là, encore du gouvernement, dit-il. Et ceux-là, on les connaît, pas vrai… ? »

Le gamin les connaissait. Il s'agissait de deux chasseurs de rats. Même ici, ils arboraient le long manteau poussiéreux et le chapeau haut de forme noir fatigué de leur profession. Chacun portait sur l'épaule un long bâton d'où pendouillaient divers pièges.

À l'autre épaule était accroché un grand sac, de ceux dont on ne tient pas à vérifier le contenu. Chacun tenait un terrier au bout d'une ficelle. Des chiens efflanqués, chicaneurs, qui grondèrent en direction de Maurice quand ils passèrent devant lui, traînés par leurs maîtres.

La queue poussa des vivats à l'arrivée des deux hommes et applaudit quand ils plongèrent la main dans leurs sacs et tendirent deux poignées de ce qui ressemblait, aux yeux de Maurice, à de la ficelle noire.

« Deux cents aujourd'hui ! » cria un des chasseurs.

Un terrier voulut se précipiter vers Maurice en tirant frénétiquement sur sa laisse. Le chat ne broncha pas. Le gamin à l'air bête fut sans doute le seul à l'entendre dire tout bas : « Au pied, sac à puces ! Vilain chien ! »

La tête du terrier se chiffonna, prit l'expression horriblement inquiète du chien qui s'efforce de penser deux choses en même temps. Il savait que les chats ne doivent pas parler, et ce chat-là venait justement de le faire. Ça lui posait un problème affreux. Il s'assit d'un air gêné et geignit.

Maurice procéda à sa toilette. Ce qui équivalait à une insulte mortelle.

Le chasseur de rats, vexé par une réaction aussi lâche de son chien, le ramena vers lui d'une secousse sur la laisse.

Et laissa tomber quelques-unes des ficelles noires.

« Des queues de rat ! s'exclama le gamin. Ils doivent vraiment avoir un problème dans le pays !

— Plus gros que tu crois, dit Maurice sans quitter des yeux le paquet de queues. Ramasse donc celles-là quand personne ne fera attention, tu veux ? »

Le gamin attendit qu'on ne regarde plus dans leur direction et baissa la main. Au moment où ses doigts touchaient l'enchevêtrement de queues, une grosse chaussure noire luisante se posa pesamment dessus.

« Doucement, t'amuse pas à toucher ça, mon jeune ami, laissa tomber une voix. Tu peux attraper la peste, tu sais, avec les rats. Et t'as les jambes qui explosent. » C'était un des chasseurs de rats. Il gratifia le gamin d'un grand sourire, mais dépourvu de toute joie. Et qui sentait la bière.

« C'est vrai, mon jeune ami, et après t'as la cervelle qui te coule par les trous de nez, précisa son collègue en s'approchant derrière le gamin. Et t'oses plus te servir de ton mouchoir, mon jeune ami, quand t'as la peste.

— Mon associé a mis le doigt dessus, comme à son habitude, mon jeune ami, reprit le premier chasseur de rats en soufflant encore son odeur de bière à la figure du gamin.

— Ce que t'aurais du mal à faire, mon jeune ami, ajouta le second chasseur, parce que, si t'as la peste, t'as les doigts qui tombent tout...

— Vos jambes à vous n'ont pas explosé », objecta le gamin. Maurice gémit. Ce n'était jamais une bonne idée de rudoyer des relents de bière. Mais les chasseurs de rats en étaient à un stade où, contre toute attente, ils se croyaient drôles.

« Ah, bien vu, mon jeune ami, mais c'est parce que la première leçon, à la Guilde des chasseurs de rats, nous apprend à éviter d'avoir les jambes qui explosent, expliqua le premier chasseur.

— Ce qui est tant mieux, vu que la deuxième leçon se donne à l'étage, renchérit le second chasseur. Oh, ce que j'suis drôle tout de même, hein, mon jeune ami ? »

Son collègue ramassa le paquet de ficelles noires et son sourire s'effaça tandis qu'il regardait fixement le gamin. « Je t'ai encore jamais vu, petit, dit-il. Et j'vais te donner un conseil : tu te tiens à carreau et tu parles de rien à personne. Pas un mot. Compris ? »

Le gamin ouvrit la bouche avant de la refermer aussitôt. Le chasseur de rats se fendit encore de son horrible sourire.

« Ah, tu piges vite, mon jeune ami, fit-il. On te reverra peut-être dans le coin, hein ?

— Je parie que ça te plairait d'être chasseur de rats quand tu seras grand, hein, mon jeune ami ? » dit le second chasseur en assénant une claque appuyée dans le dos du gamin.

Le gamin hocha la tête. Ça lui paraissait la seule chose à faire. Le premier chasseur se pencha jusqu'à ce que son nez rougeaud et pustuleux lui touche presque la figure.

« Si jamais t'as l'occasion d'être grand, mon jeune ami », dit-il.

Les chasseurs de rats s'éloignèrent en traînant leurs chiens derrière eux. Un des terriers n'arrêtait pas de se retourner vers Maurice.

« Des chasseurs de rats pas ordinaires, qu'ils ont dans le pays, dit le chat.

— Je n'en ai encore jamais vu comme eux, renchérit le gamin. Ils avaient l'air méchants. Comme s'ils aimaient ça.

— Je n'ai jamais connu de chasseurs aussi débordés mais avec des chaussures aussi impeccables.

— Oui, c'est vrai, dis donc…

— Mais c'est encore moins bizarre que les rats du coin, dit Maurice toujours à voix basse, comme s'il additionnait de l'argent.

— Qu'est-ce qu'ils ont de bizarre, les rats ? demanda le gamin.

— Certains ont des queues vraiment pas courantes », répondit Maurice.

Le gamin fit du regard le tour de la place. La file pour le pain était encore assez longue et ça le rendait nerveux. Tout comme la vapeur. De petites bouffées fusaient partout de grilles et de plaques d'égout, comme si tout le village était bâti sur une bouilloire. Il avait aussi la nette impression qu'on l'observait.

« Je crois qu'on devrait retrouver les rats et reprendre la route, dit-il.

— Non, ce patelin a une odeur d'occasions à saisir, objecta Maurice. Il se passe quelque chose, et, quand il se passe quelque chose, ça veut dire que quelqu'un s'enrichit et, si quelqu'un s'enrichit, je ne vois pas pourquoi ça ne serait pas m… nous.

— Oui, mais on n'a pas envie que ces gens-là tuent Pistou et les autres !

— On ne les attrapera pas, le rassura Maurice. Ces types-là n'ont pas inventé le fil à couper le beurre. Même Pur-Porc pourrait les battre à plate couture, je dirais. Et Pistou a le cerveau qui lui déborde des oreilles.

— J'espère que non !

— Nan, nan, fit Maurice qui disait la plupart du temps aux gens ce qu'ils souhaitaient entendre, je veux dire que nos rats raisonnent mieux que la plupart des humains, d'accord ? Tu te rappelles, à Scrote, quand Sardines est entré dans la bouilloire et s'est moqué de la vieille au moment où elle a soulevé le couvercle ? Hah, même les rats ordinaires sont plus forts que les humains. Les humains s'imaginent, parce qu'ils sont plus grands, qu'ils valent mieux… Minute, je me tais, on nous observe… »

Un homme chargé d'un panier s'était arrêté en sortant du Rathaus et fixait Maurice d'un œil très intéressé. Puis il releva la tête vers le gamin. « Bon pour les rats, hein ? J'parie qu'oui, un gros chat pareil. Il est à toi, mon gars ?

— Dis oui, souffla Maurice.

— En quelque sorte, oui », répondit le gamin. Il prit Maurice.

« Je t'en donne cinq piastres, proposa l'homme.

— Demandes-en dix, souffla Maurice.

— Il n'est pas à vendre, fit le gamin.

— Crétin ! ronronna Maurice.

— Sept piastres, alors, renchérit l'homme. Écoute, voilà ce que je vais faire… quatre miches de pain, qu'est-ce que t'en dis ?

— C'est ridicule. Une miche, ça ne coûte pas plus de vingt sous », fit observer le gamin.

L'homme lui jeta un drôle de regard. « Nouveau dans l'pays, c'est ça ? T'as plein d'argent, hein ?

— Assez, répondit le gamin.

— C'est ce que tu crois ? Ça va pas t'avancer beaucoup, de toute manière. Écoute, quatre miches et un pain au lait, j'peux pas faire plus correct. J'peux avoir un terrier pour dix miches et ces chiens-là sont dingues des rats… non ? Ben, quand t'auras faim, tu le donneras pour une demi-tranche de pain et d'la raclure*, et tu penseras avoir fait une affaire, crois-moi. »

Il repartit à grands pas. Maurice se libéra au prix de contorsions des bras du gamin et atterrit en souplesse sur les pavés. « Franchement, si j'étais ventriloque, on ferait fortune, grommela-t-il.

---

* On racle le beurre sur la tartine pour l'étaler. Puis on le racle pour l'enlever. Ensuite on mange la tartine.

— Ventre en loque ? répéta le gamin en regardant le dos de l'homme qui s'en allait.

— C'est quand tu ouvres et fermes la bouche mais que c'est moi qui parle, expliqua Maurice. Pourquoi tu ne m'as pas vendu ? Je serais revenu au bout de dix minutes ! J'ai entendu parler d'un gars qui avait fait fortune en vendant des pigeons voyageurs, et il n'en avait qu'un seul !

— Tu ne trouves pas ça bizarre, un village où on paye plus d'une piastre une miche de pain ? demanda le gamin. Et une demi-piastre pour une malheureuse queue de rat ?

— Du moment qu'il leur reste assez d'argent pour payer le joueur de flûte. Un coup de chance qu'ils aient déjà une invasion de rats, hein ? Vite, tapote-moi la tête, il y a une fille qui nous observe. »

Le gamin leva la tête. Une fille les observait effectivement. Des gens circulaient dans la rue, certains passaient entre eux deux, mais, comme clouée sur place, la fille ne le quittait pas des yeux. Ni Maurice non plus. Elle avait ce regard à vous épingler au mur qu'il associait à Pêches. Elle avait un air à poser des questions. Elle avait les cheveux trop roux et le nez trop long. Elle portait une longue robe noire à franges de dentelle noires également. Ça n'annonçait rien de bon.

Elle traversa la rue et fit face au gamin. « Tu es nouveau, non ? Tu cherches du travail, c'est ça ? Sûrement viré de ton dernier boulot, j'imagine. Sans doute parce que tu t'es endormi et que ç'a fichu le bazar. Certainement ça. Ou alors tu t'es enfui parce que ton maître te battait avec un gros bâton, mais, ajouta-t-elle alors qu'il lui venait une nouvelle idée, tu le méritais sûrement à cause de ta paresse. Ensuite tu as sûrement volé le chat, sachant qu'on t'en donnerait un bon prix chez nous. Et la faim a dû te rendre fou parce que tu parlais au chat et que les chats ne parlent pas, tout le monde sait ça.

— Incapable d'articuler le moindre mot, dit Maurice.

— Et tu es sans doute un garçon mystérieux qui... » La fille se tut soudain et jeta à Maurice un regard intrigué. Il fit le dos rond et lâcha un *prppt* qui signifie « biscuits » en langue féline. « Le chat a dit quelque chose ? demanda-t-elle.

— Tout le monde sait que les chats ne parlent pas, je croyais, répliqua le gamin.

— Ah, mais tu as peut-être été apprenti chez un mage. Oui, ça m'a l'air de tenir debout. Ça ira pour l'instant. Tu étais apprenti chez un mage, mais tu t'es endormi, tu as laissé la mixture verte en ébullition déborder du chaudron et il t'a menacé de te changer en... en... en...

— Gerbille, souffla obligeamment Maurice.

— ... en gerbille, alors tu as volé son chat magique parce que tu ne pouvais pas le sentir et... C'est quoi, une gerbille ? Le chat vient bien de dire "gerbille", non ?

— Ne me regardez pas ! fit le gamin. Je n'ai pas bougé.

— D'accord, ensuite tu as apporté le chat chez nous parce que tu sais qu'on a une terrible famine, c'est pour ça que tu voulais le vendre, et le bonhomme de tout à l'heure t'en aurait donné dix piastres si tu avais insisté.

— Dix piastres, c'est trop, même pour un bon ratier.

— Un ratier ? Ça ne l'intéressait pas d'attraper des rats ! dit la fille rousse. Tout le monde a faim, ici ! Ce chat ferait au moins deux repas !

— Quoi ? Vous mangez les chats chez vous ? » lâcha Maurice dont la queue s'ébouriffa comme une balayette.

La fille se pencha vers lui, un affreux sourire aux lèvres, tout comme celui qu'arborait Pêches quand elle sortait triomphante d'une discussion avec lui, et elle lui appuya un doigt sur le museau.

« Je t'ai eu ! dit-elle. Tu es tombé dans un piège tout bête ! Je crois que vous feriez bien de me suivre, vous deux, non ? Sinon je me mets à crier. Et on m'écoute quand je crie ! »

Chapitre 3

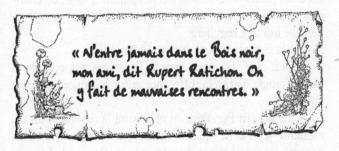

« N'entre jamais dans le Bois noir, mon ami, dit Rupert Ratichon. On y fait de mauvaises rencontres. »

L'Aventure de monsieur Lapinou.

Loin sous les pattes de Maurice, les rats envahissaient en douce les niveaux inférieurs de Bad Igoince. Les villes anciennes sont ainsi. On construit autant vers le bas que vers le haut. Les caves s'aboutent contre d'autres caves, et quelques-unes tombent dans l'oubli – sauf pour des êtres qui tiennent à rester hors de vue.

Dans l'obscurité épaisse, chaude et humide, une voix lança : « D'accord, qui a les allumettes ? »

— Moi, Pistou. Quatreportions.

— Bravo, petit. Et qui a la bougie ?

« — Moi, chef*. Je suis Bouchée.

— Bien. Pose-la et Pêches va l'allumer. »

Suivirent des frottements de pattes en grand nombre dans le noir. Les rats ne s'étaient pas tous habitués à l'idée de faire du feu, et certains préféraient prendre leurs distances.

Un grattement, puis l'allumette s'embrasa. La tenant de ses deux pattes antérieures, Pêches alluma le bout de chandelle. La flamme enfla un instant puis se réduisit pour donner une lumière régulière.

« Tu la vois vraiment ? demanda Pur-Porc.

— Oui, chef, répondit Pistou. Je ne suis pas complètement aveugle. Je fais la différence entre la lumière et l'obscurité.

— Tu sais, fit Pur-Porc en observant la flamme d'un œil méfiant, je n'aime quand même pas ça du tout. Nos parents se contentaient du noir. Ça va finir mal. Et puis, mettre le feu à une bougie, c'est gâcher un excellent repas.

— On doit être capables de maîtriser le feu, chef, dit Pistou d'un ton calme. La flamme, c'est une déclaration qu'on fait à l'obscurité. On lui dit : on est à part. On lui dit : on n'est pas que des rats. On lui dit : on est le clan.

— Hrumph », fit Pur-Porc, sa réponse habituelle quand il ne comprenait pas certaines explications. Ces derniers temps, il hrumphait beaucoup.

« D'après ce que je sais, les jeunes rats disent que l'obscurité leur fait peur, intervint Pêches.

---

* C'est difficile de traduire « chef » en rat. L'équivalent n'est pas un mot mais une espèce d'accroupissement bref indiquant qu'à cet instant le rat qui s'accroupit est prêt à accepter l'autre rat pour patron, mais qu'il ou elle ne doit pas en rajouter pour autant.

« — Pourquoi donc ? s'étonna Pur-Porc. Ils n'ont pas peur du noir complet, si ? Le noir, c'est pour les rats ! Vivre dans le noir, c'est ça être rat !

— C'est curieux, dit Pêches, mais on ne sentait pas l'obscurité avant qu'on ait la lumière. »

Un jeune rat leva craintivement la patte. « Hum… et même quand la lumière est éteinte, on sait que l'obscurité est toujours là. »

Pistou se tourna vers le jeune rat. « Tu es… ? demanda-t-il.

— Délicieux, répondit le jeune rat.

— Eh bien, Délicieux, reprit Pistou d'un ton bienveillant, avoir peur de l'obscurité, ça fait partie de nos progrès sur la voie de l'intelligence, je crois. Ton cerveau fait la distinction entre toi et ce qu'il y a en dehors de toi. Alors maintenant tu n'as pas seulement peur de ce que tu vois, tu entends ou tu sens, mais aussi de ce que tu… comme qui dirait… vois dans ta tête. Apprendre à affronter l'obscurité extérieure nous aide à combattre l'obscurité intérieure. Et tu domines toutes les ténèbres. C'est un grand pas en avant. Bravo. »

Délicieux paraissait un brin fier, mais surtout nerveux.

« Moi, je ne vois pas à quoi ça nous avance, dit Pur-Porc. On s'en sortait très bien sur le tas d'ordures. Je n'avais jamais peur de rien.

— On était la proie des chats errants et des chiens affamés, chef, objecta Pistou.

— Oh, ben, parlons-en des chats, grogna Pur-Porc.

— Je crois qu'on peut faire confiance à Maurice, chef, dit Pistou. Peut-être pas quand il s'agit d'argent, je reconnais. Mais il fait très attention à ne pas manger ce qui parle, vous savez. Il vérifie à chaque fois.

— Ça, on peut faire confiance à un chat pour être un chat. Qu'il parle ou non !

— Oui, chef. Mais on est différents et lui aussi. Je crois qu'il a le fond honnête.

— Hum. Ça reste à voir, fit Pêches. Mais maintenant qu'on est là, on va s'organiser. »

Pur-Porc grogna. « Tu es qui pour donner l'ordre de s'organiser ? lança-t-il sèchement. Serais-tu le chef, jeune femelle qui refuse de *rllk* avec moi ? Non ! C'est moi, le chef. C'est à moi de dire qu'on va s'organiser !

— Oui, chef, fit Pêches en s'accroupissant très bas. Comment voulez-vous qu'on s'organise, chef ? »

Pur-Porc la fixa, les yeux écarquillés. Son regard balaya les rats qui attendaient avec leurs paquets et leurs ballots, puis fit le tour de l'ancienne cave avant de revenir sur Pêches toujours accroupie. « On... s'organise, c'est tout, marmonna-t-il. Qu'on ne m'embête pas avec les détails ! C'est moi le chef. » Puis il disparut d'un pas digne dans les ténèbres.

Après son départ, Pêches et Pistou examinèrent la cave peuplée d'ombres tremblotantes dues à la lueur de la bougie. Un filet d'eau dégoulinait le long d'un mur encroûté. Ici et là, des pierres s'étaient détachées, laissant des cavités engageantes. De la terre recouvrait le sol, et on n'y voyait aucune trace de pas humains.

« Une base idéale, dit Pistou. Elle sent bon le secret et la sécurité. Parfaite pour des rats.

— Exact, fit une voix. Et tu sais ce qui m'ennuie dans tout ça ? »

Le rat du nom de Noir-mat s'avança dans la lumière et remonta d'une secousse une de ses ceintures d'outils. Un grand nombre de rats présents firent soudain attention. On écoutait Pur-Porc parce qu'il était le chef, mais on écoutait Noir-mat parce qu'il disait souvent ce qu'il fallait absolument savoir quand on tenait à la vie.

Il était grand, maigre, coriace et passait le plus clair de son temps à démonter les pièges afin d'en comprendre le mécanisme.

« Qu'est-ce qui t'ennuie, Noir-mat ? demanda Pistou.

— Il n'y a pas de rats ici. En dehors de nous. Des tunnels de rats, oui. Mais on n'a pas vu de rats. Aucun. Dans un bourg pareil, ils devraient pulluler.

— Oh, ils ont sans doute peur de nous », dit Pêches.

Noir-mat tapota le côté de son museau balafré. « Peut-être, fit-il. Mais ça ne sent pas comme ça devrait. Penser, c'est une belle invention, mais on nous a donné un nez, et c'est payant de l'écouter. Redoublez de prudence ! » Il se tourna vers les autres rats et haussa la voix. « D'accord, vous tous ! Vous connaissez la marche à suivre ! cria-t-il. Devant moi en pelotons, exécution ! »

Il ne fallut pas longtemps aux rats pour former trois groupes. Ils s'étaient beaucoup entraînés.

« Bravo, dit Noir-mat tandis que les derniers prenaient leur place dans des frottements de pattes. Bien ! On est en zone difficile, les gars, alors prudence... »

Noir-mat était un rat qui sortait de l'ordinaire ; il portait en effet des objets sur lui.

Lorsque les rats avaient découvert les livres – et la seule idée de livre restait difficile à assimiler pour la plupart des plus âgés –, ils étaient tombés, dans la librairie qu'ils investissaient toutes les nuits, sur *le* livre.

Un livre stupéfiant.

Même avant que Pêches et Langues-de-Chat aient appris à lire les mots humains, les illustrations les avaient stupéfiés.

On y voyait des animaux habillés. On y voyait un lapin qui marchait sur ses deux pattes postérieures et portait un costume bleu. On y voyait un rat en chapeau qui portait une épée et un grand gilet rouge orné d'une montre au bout d'une chaîne. Même le serpent avait un col et une cravate. Tous parlaient, ils ne mangeaient aucun des autres animaux et – c'était là le plus incroyable – ils parlaient tous aux humains qui les traitaient en… disons, en humains plus petits. Il n'y avait pas de pièges, pas de poisons. Manifestement (à en croire Pêches qui poursuivait minutieusement la lecture du livre et en lisait parfois des extraits à haute voix), Olly le serpent était un peu vaurien, mais il n'arrivait rien de vraiment méchant. Même quand le lapin se perdait dans le Bois noir, il en était quitte pour une petite peur.

Oui, *L'Aventure de monsieur Lapinou* donnait lieu à un grand nombre de discussions chez les Changés. À quoi servait ce livre ? Était-ce, comme le croyait Pistou, la vision d'un avenir radieux ? Était-il l'œuvre des humains ? La librairie était destinée aux humains, c'est vrai, mais même les humains n'écriraient sûrement pas un bouquin sur Rupert Ratichon le rat, qui portait un chapeau, pendant qu'ils empoisonnaient les rongeurs sous le plancher. Si ? Faudrait être complètement malade pour en arriver là, non ?

Certains jeunes rats avaient suggéré que les vêtements étaient peut-être plus importants qu'on ne croyait. Ils avaient essayé de porter des gilets, mais ils avaient eu du mal à tailler le modèle avec les dents, ils n'arrivaient pas à faire fonctionner les boutons et, franchement, on s'accrochait à la moindre écharde et c'était très difficile de courir avec ça sur le dos. Les chapeaux, eux, tombaient.

Pour Noir-mat, les humains étaient fous et aussi méchants. Mais les illustrations du livre lui avaient donné une idée. Ce qu'il portait était moins un gilet qu'un lacis de larges ceintures qu'on enfilait et dont on se dégageait facilement. Il avait cousu dessus des poches – et ça, c'était une bonne idée, ça revenait à se donner des pattes en supplément – pour garder avec lui tout ce dont il avait besoin, comme des tiges de métal et des bouts de fil de fer. Certains autres de la bande avaient repris cette idée à leur compte. On ne savait jamais ce qui allait servir dans la brigade de dépiégeage. C'est une vie rude, une vie de rat.

Les tiges et les fils de fer cliquetaient tandis que Noir-mat faisait les cent pas devant ses troupes. Il s'arrêta devant un groupe important de jeunes rats. « D'accord, peloton numéro trois, vous êtes de service de pisse, dit-il. Allez boire un bon coup.

— Oooh, on est toujours de service de pisse », se plaignit un rat.

Noir-mat se précipita sur lui et lui fit face, museau à museau, jusqu'à ce que l'autre recule. « C'est parce que tu es un spécialiste, mon gars ! Ta mère t'a élevé pour être un pisseur, alors va-t'en accomplir ton tribut à la nature ! Voir que les rats sont déjà passés par là, si vous me suivez, rien de tel pour dérouter les humains ! Et si vous en avez l'occasion, grignotez aussi un peu. Galopez aussi sous les lattes du plancher et couinez ! Et souvenez-vous, personne ne doit bouger avant d'avoir reçu le signal de la brigade de dépiégeage que la voie est libre. Maintenant, opération arrosage, et au pas de course ! Hop ! Hop ! Hop ! Une, deux, une, deux, une, deux ! »

Le peloton fila à toute vitesse.

Noir-mat se tourna vers le peloton numéro deux. Il était composé de vétérans, de vieux rats balafrés, mordus et déchiquetés, certains privés d'un morceau ou de toute la queue, d'autres d'une patte, d'une oreille ou d'un œil. À vrai dire, bien qu'étant une vingtaine, ils avaient à eux tous à peine de quoi faire dix-sept rats complets.

Mais, comme ils étaient vieux, ils étaient rusés, parce qu'un rat qui n'est pas rusé, sournois ni méfiant ne devient pas un vieux rat. Ils étaient tous adultes à l'arrivée de l'intelligence. Ils étaient bien ancrés dans leurs habitudes. Pur-Porc disait toujours qu'il les aimait comme ça. Ils avaient gardé la majeure partie de leurs qualités de rat, de cette ruse brute qui vous sort des pièges où l'intelligence surexcitée vous a fourré. Eux réfléchissaient avec leur nez. Et on n'avait pas besoin de leur dire où pisser.

« D'accord, les gars, vous connaissez la manœuvre, dit Noir-mat. Je veux voir s'activer des rats culottés. Faucher le mou dans le bol du chat, les tartes sous le nez des cuisiniers…

— … les dentiers dans la bouche des vieux… » ajouta un petit rat qui avait l'air de danser sur place en écoutant Noir-mat. Sas pattes n'arrêtaient pas de gigoter et de faire des claquettes. Il portait aussi un chapeau, un couvre-chef maison en paille tout cabossé. Il était le seul rat capable de faire tenir un chapeau parce qu'il se coinçait les oreilles au travers. Pour avoir de l'allure, il faut un galure, disait-il.

« Ça, c'était un coup de veine, Sardines. Je parie que tu ne peux pas le refaire, dit Noir-mat en souriant. Et cesse de répéter aux gamins que tu es allé prendre un bain dans la baignoire d'un humain. Ouais, je sais que c'est vrai, mais je ne veux pas perdre des gars incapables de s'extraire d'une baignoire glissante. Bref... si je n'entends pas de femmes hurler et sortir en courant de leur cuisine dans les dix minutes, je saurai que vous n'êtes pas les rats que je pense. Et alors ? Qu'est-ce que vous attendez ? Exécution ! Et... Sardines ?

— Oui, patron ?

— Mollo sur les claquettes, cette fois, d'accord ?

— J'ai les pattes qui dansent toutes seules, patron !

— Et tu es obligé de porter tout le temps ce chapeau ridicule ? insista Noir-mat en souriant encore.

— Oui, patron ! » Sardines était un des rats les plus vieux, mais on s'en doutait rarement. Il dansait, blaguait et ne se battait jamais. Il avait vécu dans un théâtre et mangé un jour toute une boîte de fard gras. On avait l'impression qu'il avait maintenant ça dans le sang.

« Et pas question de passer devant la brigade de dépiégeage ! » ajouta Noir-mat.

Sardines se fendit d'un grand sourire. « Holà, patron, je ne peux pas m'amuser un peu ? » Il suivit les autres en dansant vers les trous dans les murs.

Noir-mat passa au peloton numéro un, le plus petit. Il fallait des rats d'une certaine trempe pour faire des dépiégeurs qui tiennent longtemps. Il fallait être lent, patient et minutieux. Avoir une bonne mémoire. Être prudent. On pouvait entrer dans la brigade quand on était rapide, négligent et irréfléchi. Mais on n'y tenait pas longtemps.

Il les jaugea et sourit. Il était fier de ces rats-là. « D'accord, vous autres, vous savez tout maintenant, dit-il. Vous

n'avez pas besoin d'un long discours. Rappelez-vous seulement que c'est un nouveau village, alors on ne sait pas ce
qu'on va trouver. On risque de tomber sur un tas de nouveaux modèles de pièges, mais on apprend vite, non ? Sans
parler des poisons. Ils peuvent se servir de produits qu'on
ne connaît pas, alors faites gaffe. Pas de précipitation, on
ne court pas. On ne tient pas à connaître le sort de la première souris, hein ?

— Non, Noir-mat, firent en chœur les rats conscien-
cieux.

— On ne veut pas connaître le sort de quelle souris, j'ai
dit ? demanda Noir-mat.

— On ne veut pas connaître le sort de la première souris ! crièrent les rats.

— Voilà ! On veut connaître le sort de quelle souris ?

— La deuxième souris, Noir-mat ! répondirent les rats à
qui on avait maintes fois seriné la leçon.

— Voilà ! Et pourquoi est-ce qu'on veut connaître le sort
de la deuxième souris ?

— Parce que c'est la deuxième souris qui ramasse le fromage, Noir-mat !

— Bien ! Saumure prendra l'équipe deux... Datelimite ?
Tu montes en grade, tu prends la trois, et j'espère que tu es
aussi bon qu'Alalouche avant qu'elle oublie comment désa-
morcer le couteau de déclenche d'un "Happerat Rognure
et poison numéro 5". L'excès de confiance est notre
ennemi ! Alors, si vous voyez quoi que ce soit de louche, de
petites boîtes que vous ne reconnaissez pas, n'importe quoi
avec des fils de fer, des ressorts et autres, vous faites une
marque et vous m'envoyez un messager... Oui ? »

Un jeune rat levait la patte.

« Oui ? Comment tu t'appelles… mademoiselle ?

— Euh… Nutritionnelle, chef, répondit la rate. Euh… je peux vous poser une question, chef ?

— Tu es nouvelle dans ce peloton, Nutritionnelle ? demanda Noir-mat.

— Oui, chef ! Mutée des pisseurs légers, monsieur !

— Ah, ils t'ont trouvé des dispositions pour le dépié-geage, c'est ça ? »

Nutritionnelle parut mal à l'aise, mais impossible de reculer désormais. « Euh… pas vraiment, chef. D'après eux, je ne pourrais pas être pire qu'au pissage, chef. »

Tout le monde se mit à rire dans les rangs.

« Comment un rat peut-il être mauvais dans ce domaine ? s'étonna Noir-mat.

— C'est que… c'est tellement… tellement… tellement gênant, chef », dit Nutritionnelle.

Noir-mat soupira tout bas. Tout ce nouvel intellect don-nait de curieux résultats. Il approuvait personnellement la théorie du pays idéal, mais certaines idées qui passaient par la tête des jeunes étaient… bizarres.

« D'accord, fit-il. C'était quoi, ta question, Nutrition-nelle ?

— Euh… vous avez dit que c'est la deuxième souris qui ramasse le fromage, chef ?

— Exactement ! C'est la devise de la brigade, Nutrition-nelle. Ne l'oublie pas ! Elle est ton amie !

— Oui, chef. Je n'oublierai pas, chef. Mais… est-ce que la première souris ramasse quelque chose, chef ? »

Noir-mat fixa la jeune rate. Elle soutint son regard au lieu de vouloir rentrer sous terre, et il en fut impressionné. « Je vois que tu seras une recrue appréciable dans la brigade, Nutritionnelle », dit-il. Il haussa le ton. « Vous tous ! Elle ramasse quoi, la première souris ? »

Le rugissement des voix fit tomber de la poussière du plafond. « Le piège ! »

— Et ne l'oublie pas. Emmène-les, Offrespéciale. Je vous rejoins dans une minute. »

Un jeune rat fit un pas en avant et se tourna face aux équipes. « Allons-y, les rats ! Hop, hop, hop... »

Les équipes de dépiégeage s'éloignèrent au petit trot. Noir-mat s'approcha de Pistou.

« C'est parti, dit-il. Si les humains ne cherchent pas un bon chasseur de rats d'ici demain, c'est qu'on ne sait pas y faire.

— Il faut qu'on reste plus longtemps que ça, fit Pêches. Certaines rates vont accoucher.

— J'ai dit qu'on ne sait pas encore si l'endroit est sûr.

— Tu veux raconter ça à Grosses-Remises ? » demanda Pêches d'une voix douce. Grosses-Remises était la vieille rate en chef, connue pour ses morsures comme des coups de pioche et ses muscles durs comme le roc. Elle était en outre soupe au lait avec les mâles. Même Pur-Porc s'écartait de son chemin quand elle était mal lunée.

« La nature doit suivre son cours, évidemment, répondit aussitôt Noir-mat. Mais on n'a rien exploré. Il y a forcément d'autres rats par ici.

— Oh, les *quiquis* nous évitent tous », répliqua Pêches.

C'était vrai, Noir-mat devait le reconnaître. Les rats ordinaires évitaient bel et bien les Changés. Oh, il y avait parfois des affrontements, mais les Changés étaient gros, en bonne santé et se servaient de leur tête pour se sortir d'affaire. Ça ne plaisait pas à Pistou, mais, comme disait Pur-Porc, c'est eux ou nous et, en fin de compte, on vit dans un monde impitoyable où le rat est un loup pour le rat…

« Je vais rejoindre mon équipe », dit Noir-mat, encore troublé par l'idée d'affronter Grosses-Remises. Il s'approcha. « Qu'est-ce qu'il a, Pur-Porc ?

— Il… réfléchit à des trucs, répondit Pêches.

— Il réfléchit, répéta Noir-mat d'un air interdit. Oh. D'accord. Bon, faut que j'aille m'occuper des pièges. À la ressenture !

— Qu'est-ce qu'il a, Pur-Porc ? demanda Pistou quand Pêches et lui furent à nouveau seuls.

— Il se fait vieux, répondit Pêches. Il lui faut beaucoup de repos. À mon avis, il se demande en plus si Noir-mat ou un autre ne vont pas lui lancer un défi, et ça l'inquiète.

— Ils vont le faire, tu crois ?

— Noir-mat vit surtout pour détruire des pièges et tester des poisons. Il y a plus intéressant à faire que se mordre les uns les autres.

— Ou que *rllk*, à ce qu'il paraît. »

Pêches baissa le nez d'un air réservé. Si les rats avaient pu rougir, c'est ce qu'elle aurait fait. C'est étonnant comme des yeux roses qui vous distinguent à peine arrivent en même temps à voir carrément à travers vous. « Les rates sont beaucoup plus difficiles, expliqua-t-elle. Elles veulent trouver des pères capables de réfléchir.

— Bien, dit Pistou. Il faut faire attention. On n'a pas besoin de se reproduire comme des rats. On n'est pas obligés de compter sur le nombre. On est les Changés. »

Pêches l'observa avec angoisse. Quand Pistou pensait, il donnait l'impression de contempler un monde que lui seul voyait. « C'est quoi, cette fois ? demanda-t-elle.

— Je me suis dit qu'on ne devait pas tuer d'autres rats. Aucun rat ne devrait tuer son prochain.

— Même les *quiquis* ? fit-elle d'un air dubitatif.

— Ce sont aussi des rats. »

Pêches haussa les épaules. « Ben, on a essayé de leur parler et ça n'a pas marché. De toute façon, ils nous évitent le plus souvent, ces temps-ci. »

Pistou fixait toujours son monde invisible. « Tout de même, fit-il doucement, j'aimerais que tu notes ça. »

Pêches soupira mais se rendit néanmoins près d'un ballot qu'avaient amené les rats et en sortit son sac. Ce n'était rien de plus qu'un rouleau de tissu muni d'un bout de ficelle en guise de poignée, mais il était assez grand pour contenir quelques allumettes, des fragments de mine de crayon, un tout petit éclat de lame de couteau brisée pour tailler les mines et un morceau de papier crasseux. Tous les objets importants.

Elle était aussi la porteuse officielle de *Monsieur Lapinou*. « Porteuse » n'était peut-être pas le terme adéquat; « traîneuse » convenait mieux la plupart du temps. Mais Pistou aimait toujours savoir où il était et avait l'air de mieux réfléchir quand il l'avait à proximité. Le livre le rassurait, et c'était une raison suffisante pour Pêches.

Elle lissa le papier sur une vieille brique, saisit un bout de mine et passa la liste en revue.

La première pensée avait été : Dans le clan est la force.

Ça n'avait pas été facile à traduire, mais elle avait fait un effort. La plupart des rats ne lisaient pas l'humain. C'était trop dur de donner un sens aux lignes et aux gribouillis. Pêches avait donc travaillé d'arrache-patte pour imaginer une langue que les rats pourraient lire.

Elle avait tenté de dessiner un gros rat formé de petits rats.

Pur-Porc se méfiait de l'écriture. Les nouvelles idées avaient besoin d'élan pour entrer dans la tête du vieux rat. Pistou lui avait expliqué de sa curieuse voix douce que prendre des notes sur du papier permettait aux connaissances d'un rat de survivre même après sa mort. Il avait dit que tous les rats pourraient acquérir le savoir de Pur-Porc. Lequel avait répliqué : Pas question ! Il avait mis des années à apprendre certaines ficelles ! Pourquoi en ferait-il cadeau ? Ça voudrait dire que n'importe quel jeune rat en saurait aussi long que lui !

Pistou avait répondu : On coopère ou on meurt.

Ce qui était devenu la deuxième pensée. « Coopère »
n'était pas un mot facile, mais il arrivait même aux *quiquis*
d'aider un aveugle ou un camarade blessé à marcher, et il
s'agissait certainement alors de coopération. Le trait épais,
là où elle avait appuyé fermement, devait signifier « non ».
Le dessin du piège pouvait signifier « mourir », « mauvais »
ou « éviter ».

La dernière pensée sur le papier se lisait : Ne pas pisser
là où tu manges. Celle-là était assez simple.

Elle serra le morceau de mine à deux pattes et dessina
méticuleusement : Un rat ne doit pas tuer son prochain.

Elle se rassit. Oui… pas mal… « Piège » était un bon symbole pour la mort, et elle avait ajouté le cadavre du rat pour faire plus sérieux.

« Mais en admettant qu'on soit obligé ? demanda-t-elle sans quitter les dessins des yeux.

— Alors on est obligé, répondit Pistou. Mais on ne devrait pas. »

Pêche secoua tristement la tête. Elle soutenait Pistou parce qu'il avait… ben, quelque chose en lui. Il n'était ni gros ni rapide, il était presque aveugle, plutôt faible, et il oubliait parfois de manger parce qu'il lui venait des idées que personne – du moins personne chez les rats – n'avait eues avant lui. La plupart exaspéraient Pur-Porc au-delà du possible, comme la fois où Pistou avait demandé « Qu'est-ce qu'un rat ? » et où Pur-Porc avait répondu : « Dents. Griffes. Queue. Courir. Se cacher. Manger. C'est ça, un rat. »

Pistou avait répliqué : « Mais maintenant on peut aussi se demander ce qu'est un rat. Ce qui signifie qu'on est davantage que ça.

— On est des rats, avait contesté Pur-Porc. On court partout, on couine, on vole et on engendre davantage de rats. C'est pour ça qu'on est faits !

— Faits par qui ? » avait riposté Pistou, ce qui avait déclenché une nouvelle dispute sur la théorie du Grand Rat au Fond de la Terre.

Mais même Pur-Porc suivait Pistou, ainsi que des rats comme Noir-mat et Langues-de-Chat, et ils écoutaient quand il parlait.

Pêches écoutait quand eux parlaient. « On nous a donné un nez », avait dit Noir-mat aux brigades. Qui donc le leur avait donné ? Mine de rien, les idées de Pistou faisaient leur chemin dans les têtes.

Il trouvait de nouvelles façons de penser. Il trouvait de nouveaux mots. Il trouvait de nouvelles manières de comprendre ce qui leur arrivait. Gros rats, rats balafrés, tous écoutaient le petit rat parce que le Changement les avait entraînés dans des territoires obscurs et qu'il paraissait le seul à se faire une idée de leur destination.

Elle le laissa près de la bougie et partit à la recherche de Pur-Porc. Il se tenait assis contre un mur. Comme la plupart des vieux rats, il restait toujours près des murs et évitait les espaces dégagés et la lumière trop vive.

Il avait l'air de trembler.

« Vous allez bien ? » demanda-t-elle.

Les tremblements cessèrent. « Ça va, ça va, je n'ai rien ! cracha Pur-Porc. Juste quelques élancements, ça passera !

— J'ai tout de même remarqué que vous n'êtes parti avec aucune des équipes.

— Je vais bien ! brailla le vieux rat.

— On a encore quelques pommes de terre dans les baga…

— Je ne veux pas manger ! Je vais très bien ! »

… Ce qui voulait dire le contraire. Voilà pourquoi il ne voulait pas partager ses connaissances. Ses connaissances, c'était tout ce qui lui restait. Pêches n'ignorait pas ce que les rats faisaient d'habitude aux chefs trop vieux. Elle avait observé la tête de Pur-Porc quand Noir-mat – un Noir-mat plus jeune et plus fort – avait parlé à ses équipes, et elle savait que Pur-Porc y pensait aussi. Oh, il se tenait bien quand on le regardait, mais il se reposait plus souvent ces derniers temps, et il se tapissait discrètement dans les coins.

Les vieux rats, on les chassait, ils rôdaient ensuite tout seuls, puis leur cerveau se déréglait et ils devenaient bizarres. Il y aurait bientôt un nouveau chef.

Pêches aurait voulu lui faire comprendre une des pensées de Pistou, mais le vieux rat n'aimait pas trop parler aux femelles. Il avait été éduqué pour penser que les femelles n'étaient pas faites pour qu'on leur parle.

La pensée était :

Ce qui voulait dire : Nous sommes les Changés. Nous ne sommes pas comme les autres rats.

Chapitre 4

L'important, dans les aventures, se disait monsieur Lapinou, c'est qu'elles ne doivent pas s'éterniser au point de faire sauter les repas.

L'Aventure de monsieur Lapinou.

L e gamin, la fille et Maurice se trouvaient dans une grande cuisine. Le gamin savait que c'était une cuisine à cause de l'immense fourneau de fer noir sous le manteau de la cheminée, des casseroles accrochées aux murs et de la longue table balafrée. Ce qui manquait au tableau, c'était ce que contenait d'ordinaire une cuisine, à savoir des victuailles.

La fille s'approcha d'un coffre en métal dans un angle et se tripota le cou pour attraper une ficelle qui retenait en définitive une grosse clé. « On ne peut faire confiance à personne, dit-elle. Et les rats volent cent fois ce qu'ils mangent, les sales bêtes.

— Je ne crois pas, objecta le gamin. Dix fois tout au plus.

— Tu t'y connais en rats tout d'un coup ? dit la fille en déverrouillant le coffre en métal.

— Pas tout d'un coup, j'ai appris ça quand… Ouille ! Ça fait vraiment mal, ça !

— Pardon, dit Maurice. Je t'ai griffé malencontreusement, hein ? » Il s'efforça de faire une grimace qui disait *« Ne fais pas le couillon, d'accord ? »*, ce qui n'est pas facile avec une tête de chat.

La fille lui jeta un regard méfiant avant de revenir au coffre en métal. « Il y a du lait qui n'a pas encore caillé et deux têtes de poisson, annonça-t-elle en fouillant l'intérieur des yeux.

— Moi, ça me paraît bien, dit Maurice.

— Et ton humain ?

— Lui ? Il va manger n'importe quels restes.

— Il y a du pain et de la saucisse, dit la fille en sortant une boîte de conserve du placard métallique. On se méfie tous des saucisses. Il reste aussi un tout petit bout de fromage, mais du type ancestral.

— Je ne crois pas qu'on devrait manger vos vivres si vous en manquez tellement, objecta le gamin. On a de l'argent.

— Oh, d'après mon père, ça donnerait une mauvaise image du village si on manquait aux lois de l'hospitalité. C'est lui le maire, vous savez.

— Il est le gouvernement ? » demanda le gamin.

La fille le regarda, les yeux écarquillés. « J'imagine, répondit-elle. C'est une façon marrante de voir la chose. C'est le conseil municipal qui promulgue les lois, à vrai

dire. Lui se contente de faire marcher le village et de se disputer avec tout le monde. Et il répète qu'on ne devrait pas
avoir plus de rations que les autres pour montrer qu'on est
solidaires en ces temps difficiles. Ça n'était déjà pas drôle
que des touristes s'arrêtent pour visiter nos bains chauds,
mais les rats ont encore aggravé la situation. » Elle sortit
deux soucoupes du grand buffet de la cuisine. « Mon père
dit que, si on est raisonnables, il y aura assez pour tout le
monde, reprit-elle. Ce que je trouve très louable. Je suis
entièrement d'accord. Mais, à mon avis, une fois qu'on a
fait preuve de solidarité, on devrait avoir droit à un peu de
rabe. D'ailleurs, je crois qu'on a un peu moins que tout le
monde. Tu te rends compte ? Enfin bref... Alors, comme
ça, tu es vraiment un chat magique ? » conclut-elle en versant le lait dans une soucoupe. Le liquide suinta plutôt
qu'il ne coula vraiment, mais Maurice était un chat des
rues et pouvait boire du lait tellement avancé qu'il fallait lui
courir après.

« Oh oui, c'est vrai, magique », dit-il, une auréole blanc
jaunâtre autour des babines. Moyennant deux têtes de poisson, il voulait bien être n'importe quoi pour n'importe qui.

« Tu devais être le chat d'une sorcière, j'imagine, qui
s'appelait Griselda ou un nom comme ça, poursuivit la fille
en déposant les têtes de poisson dans une autre soucoupe.

— Ouais, tout juste, Griselda, c'est ça, confirma Maurice sans lever les yeux.

— Qui vivait dans une chaumière de pain d'épice en
pleine forêt, sûrement.

— Ouais, c'est ça. » Puis, car il ne pouvait être Maurice
sans faire preuve d'un peu d'invention, il ajouta : « Seulement c'était une chaumière en biscotte parce qu'elle suivait

un régime. Une sorcière qui prenait soin de sa santé, Griselda. »

La fille parut un instant intriguée. « Ça n'est pas normal, dit-elle.

— Pardon, je t'ai menti, c'était bien du pain d'épice », rectifia aussitôt Maurice. Celui ou celle qui donne à manger a toujours raison.

« Et elle avait de grosses verrues, je suis sûre.

— Mademoiselle, dit Maurice en s'efforçant d'avoir l'air sincère, certaines de ses verrues manifestaient une telle personnalité qu'elles avaient leurs propres amis. Euh… comment vous vous appelez, mademoiselle ?

— Tu promets de ne pas rigoler ?

— D'accord. » Après tout, ça lui vaudrait peut-être d'autres têtes de poisson.

« Je m'appelle… Malicia.

— Oh.

— Tu rigoles ? fit-elle d'un ton menaçant.

— Non, dit un Maurice perplexe. Pourquoi je rigolerais ?

— Tu ne trouves pas que c'est un drôle de nom ? »

Maurice passa en revue les noms qu'il connaissait : Pur-Porc, Pistou, Noir-mat, Sardines… « Moi, ça me paraît un nom tout à fait ordinaire », dit-il.

Malicia lui jeta un autre regard méfiant, mais porta son attention sur le gamin qui restait assis, la figure fendue du sempiternel sourire béat et absent qu'il affichait quand il n'avait rien d'autre à faire. « Et toi, tu as un nom ? demanda-t-elle. Tu n'es pas le troisième et plus jeune fils d'un roi, dis ? Si ton nom commence par "Prince", c'est un bon indice.

— Je crois que c'est Keith, répondit le gamin.

— Tu ne nous avais pas dit que tu avais un nom ! fit Maurice.

— On ne me l'a jamais demandé.

— Avec un nom pareil, ça démarre plutôt mal, dit Malicia. Ça n'évoque pas le mystère. Ça n'évoque que Keith. Tu es sûr que c'est ton vrai nom ?

— C'est celui qu'on m'a donné.

— Ah, là c'est mieux. Une légère touche de mystère, dit Malicia, l'air soudain intéressée. Juste assez pour tenir en haleine. On t'a volé à la naissance, j'imagine. Tu es sans doute le roi légitime d'un pays, mais on a trouvé quelqu'un qui te ressemblait et on a fait un échange. Dans ce cas, tu vas découvrir une épée magique, seulement elle n'aura pas l'air magique, tu vois, jusqu'au moment où tu devras suivre ta destinée. On t'a sûrement trouvé sur le seuil d'une porte.

— Oui, confirma Keith.

— Tu vois ? Je ne me trompe jamais ! »

Maurice était toujours à l'affût de ce qui manquait aux gens. Et ce qui manquait à Malicia, de son point de vue, c'était un bâillon. Mais il n'avait encore jamais entendu le gamin à l'air bête parler de lui.

« Qu'est-ce que tu faisais sur un seuil ? demanda-t-il.

— Je ne sais pas. Je gazouillais, je pense, répondit Keith.

— Tu n'en as jamais parlé, lui reprocha Maurice.

— C'est important ?

— Il devait sûrement y avoir une épée magique et une couronne avec toi dans le panier. Et tu as aussi un tatouage mystérieux ou une tache de vin d'une forme curieuse, dit Malicia.

— Je ne crois pas. Personne n'a jamais parlé de ça. Il n'y avait que moi et une couverture. Et aussi un mot.

— Un mot ? Mais c'est important, ça !

— Il disait : "Dix-neuf pintes de lait et un yaourt à la fraise."

— Ah. Pas très utile, alors. Pourquoi dix-neuf pintes de lait ?

— C'était la Guilde des Musiciens. Un grand bâtiment. Pour le yaourt à la fraise, je n'ai aucune idée.

— Un orphelin abandonné, c'est bon, ça, dit Malicia. Après tout, un prince ne peut que devenir roi une fois qu'il est grand, mais un orphelin mystérieux peut être n'importe qui. Est-ce qu'on t'a battu, privé de manger et enfermé dans une cave ?

— Je ne crois pas, répondit Keith en lui lançant un drôle de regard. Tout le monde à la Guilde était très gentil. C'étaient pour la plupart de braves gens. Ils m'ont beaucoup appris.

— On a aussi des guildes chez nous. Elles apprennent aux garçons à devenir charpentiers, maçons, des métiers comme ça.

— La Guilde m'a appris la musique. Je suis musicien. Et un bon. Je gagne ma vie depuis l'âge de six ans.

— Ah. Un orphelin mystérieux, un talent étrange, une enfance malheureuse… ça prend tournure, dit Malicia. Le yaourt à la fraise ne doit pas être important. Est-ce que ta vie aurait été différente s'il avait été à la banane ? Qui peut le dire ? Quels genres de musique tu joues ?

— Quels genres ? Il n'y a pas de genres. Il y a la musique, c'est tout, répondit Keith. Il y a toujours de la musique quand on écoute bien. »

Malicia se tourna vers Maurice. « Il est toujours comme ça ? demanda-t-elle.

— Je ne l'ai jamais entendu autant parler, fit le chat.

— J'imagine que tu as envie de tout savoir sur moi, enchaîna Malicia. J'imagine que tu es trop poli pour me le demander.

— Ça alors, oui, fit Maurice.

— Ben, tu ne seras sûrement pas surpris d'apprendre que j'ai deux affreuses demi-sœurs. Et c'est moi qui dois me taper toutes les corvées !

— Ben ça, alors, fit Maurice en se demandant s'il restait encore des têtes de poisson et, dans l'affirmative, si ça valait la peine d'endurer tout ça.

— Enfin, la plupart des corvées, rectifia Malicia comme si elle révélait un détail regrettable. Quelques-unes, en tout cas. Je dois nettoyer ma chambre, tu sais ! Et c'est vraiment la pagaïe !

— Ben ça, alors.

— Et c'est quasiment la chambre la plus petite. Il n'y a pratiquement pas de placards et je manque de place pour mes livres sur les étagères.

— Ben ça, alors.

— Et tout le monde est d'une extrême cruauté envers moi. Tu noteras que nous sommes ici dans une cuisine. Et je suis la fille du maire. Est-ce que la fille du maire est censée faire la vaisselle au moins une fois par semaine ? Moi je ne crois pas !

— Ben ça, alors.

— Et regarde-moi ces vêtements déchirés et débraillés que je suis obligée de porter ! »

Maurice obtempéra. Il s'y connaissait mal en vêtements.

Son pelage lui suffisait. Autant qu'il pouvait en juger, la robe de Malicia ressemblait beaucoup à toutes les autres robes. Elle avait l'air entière. Elle n'était pas trouée, sauf là où passaient les bras et la tête.

« Tiens, juste ici, poursuivit Malicia en montrant du doigt l'ourlet qui, pour Maurice, ne différait en rien du reste de la robe. J'ai dû recoudre ça moi-même, tu sais ?

— Ben ça, al... » Maurice se tut soudain. D'où il se tenait, il voyait les étagères vides. Et surtout il voyait Sardines descendre en rappel d'une lézarde dans le vieux plafond. Il portait un sac à dos.

« Et, pour couronner le tout, c'est moi qui dois faire la queue tous les jours pour le pain et les saucisses... » poursuivit Malicia, mais Maurice écoutait encore moins qu'auparavant.

Il fallait que ce soit Sardines, se disait-il. L'imbécile ! Il passe toujours devant la brigade de dépiégeage ! Ce ne sont pas les cuisines qui manquent dans tout le village, mais il a fallu qu'il choisisse celle-ci. D'une minute à l'autre, elle va se retourner et hurler.

Et, pour Sardines, ça équivaudrait à des applaudissements. Pour lui, la vie, c'était une représentation. Les autres rats se contentaient de courir partout en couinant et en mettant le bazar, et c'était largement suffisant pour convaincre les humains qu'ils subissaient une invasion. Mais lui, oh non, il fallait toujours qu'il en rajoute. Sardines, son numéro *yowoorll* de claquettes et de chansons !

« ... et les rats nous prennent tout, disait Malicia. Ce qu'ils ne prennent pas, ils l'abîment. Terrible ! Le conseil a enterré des vivres venant des autres villages, mais personne n'a grand-chose à offrir. On est obligés d'acheter du blé et autres aux marchands qui remontent la rivière en bateau. C'est pour ça que le pain est si cher.

— Cher, hein ? fit Maurice.

— On a essayé les pièges, les chiens, les chats, le poison, et les rats continuent quand même de sévir. Ils ont aussi appris à se méfier. On n'en retrouve presque plus dans nos pièges. Huh ! Tout ce que j'ai jamais touché, c'est cinquante sous pour une queue. À quoi bon que les chasseurs de rats nous offrent cinquante sous si les rats sont si rusés ? Les chasseurs sont obligés d'employer toutes sortes d'astuces pour les attraper, qu'ils disent. » Derrière elle, Sardines inspecta les lieux d'un œil prudent puis fit signe aux rats toujours dans le plafond de remonter la corde.

« Tu ne crois pas que ce serait le moment que tu *fiches le camp* ? lança Maurice.

— Pourquoi tu fais des grimaces ? demanda Malicia en le regardant fixement.

— Oh… ben, tu connais l'espèce de chat qui sourit tout le temps ? Tu en as entendu parler ? Ben, moi je suis de ceux qui font tout le temps des grimaces, tu vois, répondit Maurice dans une tentative désespérée. Et des fois je pousse des cris et je dis des trucs *fiche le camp fiche le camp*, tu vois, je recommence. C'est une calamité. J'ai sûrement besoin d'assistance psychologique *oh non fais pas ça c'est pas le moment de faire ça*, hou-là, c'est reparti… »

Sardines avait sorti son chapeau de paille de son sac à dos. Il tenait une petite canne.

C'était un bon numéro, même Maurice devait le reconnaître. Certains villages cherchaient par voie d'annonce un joueur de flûte dès qu'il le présentait. La population supportait les rats dans la crème, les rats dans le toit, les rats dans la théière, mais les claquettes, c'était trop. Quand on voit les rats faire des claquettes, on s'estime dans un drôle de pétrin. Si seulement les rats savaient en plus jouer de l'accordéon, se disait Maurice, on pourrait s'attaquer à deux villages par jour.

Il avait regardé trop longtemps Sardines. Malicia se retourna et ouvrit la bouche d'horreur et de saisissement au spectacle du rat qui entamait son numéro. Le chat vit sa main se tendre vers une casserole sur la table. Elle la lança avec une grande précision.

Mais Sardines était un as en esquive de casserole. Les rats avaient l'habitude qu'on leur balance des projectiles. Il courait déjà quand la casserole était à mi-course, puis il bondit sur la chaise, sauta par terre, esquiva derrière le buffet, et on entendit un… claquement métallique, sec, définitif…

« Hah, dit Malicia alors que Maurice et Keith regardaient fixement le buffet. Un rat de moins, en tout cas. Je ne peux vraiment pas les voir…

— Sardines, fit Keith.

— Non, c'était bel et bien un rat. Les sardines envahissent rarement les cuisines. Tu penses sans doute à l'invasion de homards à…

— Il s'appelait Sardines parce qu'il avait lu le mot sur une vieille boîte de conserve rouillée et trouvait que ça sonnait bien », expliqua Maurice. Il se demanda s'il allait oser jeter un coup d'œil derrière le buffet.

« C'était un bon rat, ajouta Keith. Il fauchait des bouquins pour moi quand ils m'apprenaient à lire.

— Excusez-moi, vous êtes dingues ? fit Malicia. C'était un rat. Le seul bon rat, c'est un rat mort !

— Salut ? » lança une petite voix. Elle venait de derrière le buffet.

« Il ne peut pas avoir survécu. C'est un piège énorme ! dit Malicia. Avec des dents !

— Y a quelqu'un ? C'est que la canne commence à plier... »

Le buffet était massif, le bois si vieux qu'il avait noirci avec le temps et qu'il était devenu aussi dense et lourd que de la pierre.

« Ce n'est pas un rat qui parle, tout de même ? s'inquiéta Malicia. Je vous en prie, dites-moi que les rats ne parlent pas !

— À vrai dire, elle plie pas mal à présent », reprit la voix vaguement étouffée.

Maurice fouilla des yeux l'espace derrière le buffet. « Je le vois. Il a coincé la canne entre les mâchoires au moment où elles se refermaient ! Salut, Sardines, comment va ?

— Bien, patron, répondit Sardines dans la pénombre. Sans ce piège, je dirais que tout est parfait. Est-ce que j'ai signalé que la canne plie ?

— Oui, tu l'as fait.

— Elle s'est pliée un peu plus depuis, patron. »

Keith empoigna un bout du buffet et grogna en essayant de le déplacer. « C'est un vrai rocher ! constata-t-il.

— Il est plein de vaisselle, fit une Malicia maintenant abasourdie. Mais les rats ne parlent pas, dites ?

— Écarte-toi ! » s'écria Keith. Il saisit à deux mains le bord arrière du meuble, prit appui d'un pied sur le mur et tira de toutes ses forces.

Lentement, comme un gros arbre de la forêt, le buffet bascula en avant. La vaisselle se mit à en dégringoler à mesure qu'il penchait, chaque assiette glissant sur sa voisine du dessous comme la donne magnifique mais chaotique d'un jeu de cartes hors de prix. Quelques-unes réussirent néanmoins à survivre à la chute, de même que certaines tasses et soucoupes lorsque le buffet s'ouvrit, rehaussant l'effet comique, mais leur destin n'en fut pas changé car le meuble lourd et massif leur tomba dessus en grondant.

Une unique assiette miraculeusement intacte roula devant Keith en toupillant sur elle-même, de plus en plus proche du sol à chaque tour, accompagnée du *groiyuoi-yoiyooooinnnnggg* qu'on entend toujours dans ces pénibles circonstances.

Keith baissa la main vers le piège et saisit Sardines. Au moment où il remontait le rat, la canne se rompit et le piège se referma dans un claquement. Un bout de la canne s'envola en pirouettant.

« Tu vas bien ? demanda le gamin.

— Ben, patron, c'est une bonne chose que les rats ne portent pas de sous-vêtements, voilà ce que je peux dire… Merci, patron. » Sardines était assez grassouillet pour un rat mais, quand ses pieds dansaient, il flottait à ras de terre comme un ballon.

On entendit battre une semelle.

Malicia, les bras croisés, la mine courroucée, regarda Sardines puis Maurice, puis Keith et son air bête, et enfin les débris par terre.

« Euh… pardon pour le bazar, dit Keith. Mais il était… »

Elle chassa ses excuses de la main. « D'accord, fit-elle comme si elle avait mûrement réfléchi. Voilà ce qu'il en est, d'après moi. Le rat est un rat magique. Je parie qu'il n'est pas le seul. Il lui, ou il leur, est arrivé quelque chose, et maintenant ils sont devenus très intelligents, malgré les claquettes. Et... ils sont copains avec le chat. Donc... pourquoi est-ce que des rats et un chat seraient copains ? Ce qui fait... Il y a une espèce de pacte, c'est ça ? Je sais ! Ne me dis rien, ne me dis rien...

— Huh ? lâcha Keith.

— Je ne crois pas qu'on ait besoin de rien te dire, fit Maurice.

— ... ç'a un rapport avec les invasions de rats, hein ? Tous ces villages dont on a entendu parler... ben, vous en avez aussi entendu parler, et alors vous vous êtes associés avec Machin, là...

— Keith, lui souffla Keith.

— ... oui... et alors vous passez de village en village en faisant semblant d'être une invasion de rats, et Machin...

— Keith.

— ... oui... fait semblant d'être un joueur de flûte qui chasse les rats, et vous le suivez tous hors du village. C'est ça ? C'est une grosse arnaque, oui ? »

Sardines leva les yeux sur Maurice. « Elle nous a pris en flagrant délit, patron.

— Alors, maintenant, faut me donner une bonne raison pour que je n'appelle pas le guet », conclut Malicia d'un air triomphant.

Rien ne m'y force, songea Maurice, parce que tu n'en viendras pas là. Bon sang, les humains sont tellement prévisibles. Il se frotta contre les jambes de Malicia et lui lança un petit sourire satisfait. « Si tu fais ça, tu ne sauras jamais comment finit l'histoire, dit-il.

— Ah, elle finit par la prison pour vous », répondit Malicia, mais Maurice la vit qui fixait Keith à l'air bête et Sardines. Le rat portait toujours son petit chapeau de paille. Quand il s'agit d'attirer l'attention, pareil détail prend une grosse importance.

Quand il la vit froncer les sourcils dans sa direction, Sardines s'empressa d'ôter son chapeau de paille et le tint devant lui par le bord. « Il y a quelque chose que, moi, j'aimerais savoir, patron, puisqu'on en parle. »

Malicia haussa un sourcil. « Quoi donc ? Et ne m'appelle pas patron !

— J'aimerais savoir pourquoi il n'y a pas de rats dans ce village, chef. » Sardines exécuta quelques claquettes nerveuses. Malicia arrivait à jeter des regards plus mauvais qu'un chat.

« Comment ça, pas de rats ? fit-elle. On a une invasion de rats ! D'ailleurs tu en es un !

— Il y a des conduits de rats partout et quelques rats crevés, mais on n'en a pas vu un seul vivant nulle part, chef. »

Malicia se pencha. « Pourtant, tu es un rat.

— Oui, chef. Mais on n'est arrivés que ce matin. » Sardines se fendit d'un sourire nerveux tandis que Malicia le fixait encore longuement.

« Tu veux un peu de fromage ? proposa-t-elle. Il est encore mangeable, pas de quoi se mettre la rate au court-bouillon.

— Ça ne me dit rien, non, merci tout de même, dit Sardines très prudemment et poliment.

— Ça ne sert à rien, je crois qu'il est vraiment temps de dire la vérité, intervint Keith.

— Nonnonnonnonnonnonnon, fit Maurice qui avait franchement horreur de ce genre de déclaration. Tout ça, c'est parce...

« — Vous avez raison, mademoiselle, reprit Keith d'un ton las. On passe de village en village avec une bande de rats et on trompe les gens qui nous donnent de l'argent pour partir. C'est ce qu'on fait. Je le regrette. Ça devait être la dernière fois. Je regrette vraiment. Vous avez partagé votre manger avec nous et vous n'avez pas grand-chose non plus. On devrait avoir honte. »

Maurice avait l'impression, alors qu'il regardait la jeune fille peser le pour et le contre, que le cerveau de Malicia fonctionnait différemment de celui de ses semblables. Elle comprenait tout ce qui était compliqué sans même y penser. Des rats magiques ? Ouais, ouais. Des chats qui parlent ? Archi connu, d'une banalité… Seulement ce qui est simple lui posait problème.

Ses lèvres bougeaient. Maurice comprit qu'elle bâtissait une histoire à partir des nouveaux éléments.

« Donc… dit-elle, tu arrives avec tes rats dressés…

— On préfère "rongeurs savants", chef, fit Sardines.

— … d'accord, tes rongeurs savants, vous entrez dans un village et… qu'est-ce que deviennent les rats déjà sur place ? »

Sardines jeta un regard désemparé à Maurice. De la tête, le chat lui fit signe de continuer. Ils allaient tous se retrouver dans un sale pétrin si Malicia ne bâtissait pas une histoire qui lui plaisait.

« Ils nous évitent, patron… enfin, chef, dit Sardines.

— Eux aussi parlent ?

— Non, chef.

— Je crois que, pour le clan, c'est un peu comme des singes, dit Keith.

— Je parlais à Sardines, fit Malicia.

— Pardon.

— Et il n'y a pas du tout d'autres rats ici ? poursuivit Malicia.

— Non, chef. Quelques vieux squelettes, des tas de poison et beaucoup de pièges, chef. Mais pas de rats, chef.

— Pourtant les chasseurs clouent au mur un paquet de queues de rat tous les jours !

— Je te dis ce que je sais, patron. Chef. Pas de rats, patron. Chef. Pas d'autres rats partout où on est passés, patron chef.

— Tu as déjà jeté un coup d'œil aux queues de rat, mademoiselle ? demanda Maurice.

— Comment ça ? fit Malicia.

— Elles sont fausses. Certaines, en tout cas. Ce ne sont que de vieux lacets de chaussure. J'en ai vu dans la rue.

— Pas de vraies queues ? demanda Keith.

— Je suis un chat. Tu crois que je ne sais pas reconnaître des queues de rat ?

— Les gens s'en seraient sûrement aperçus !

— Ah ouais ? répliqua Maurice. Tu sais ce que c'est, un ferret ?

— Ferret ? Ferret ? Qu'est-ce qu'un ferret vient faire là-dedans ? cracha Malicia.

— C'est le petit morceau de métal au bout des lacets, expliqua Maurice.

— Comment ça se fait qu'un chat connaisse un mot pareil ?

— Tout le monde connaît forcément quelque chose. Est-ce que tu as regardé de près les queues de rat ?

— Évidemment que non. On peut attraper la peste avec les rats !

— C'est vrai, tu as les jambes qui explosent, dit Maurice en souriant. C'est pour ça que tu n'as pas vu les ferrets. Tes jambes ont explosé dernièrement, Sardines ?

— Pas aujourd'hui, patron, répondit Sardines. Remarque, il n'est pas encore midi. »

Malicia parut contente. « Ah-ha », fit-elle, et Maurice sentit comme un accent très déplaisant dans ce « ah-ha ».

« Alors… tu ne vas pas parler de nous au guet ? hasarda-t-il, plein d'espoir.

— Quoi ? Leur dire que j'ai discuté avec un rat et un chat ? Bien sûr que non. Ils iraient répéter à mon père que je raconte des histoires et il m'enfermerait encore à clé hors de ma chambre.

— Comme punition, on t'enferme hors de ta chambre ? s'étonna Maurice.

— Oui. Ça veut dire que je suis privée de mes livres. Je suis une fille spéciale, tu l'as peut-être remarqué, lança fièrement Malicia. Tu n'as jamais entendu parler des sœurs Crime ? Agoniza et Éviscera Crime ? C'étaient ma grand-mère et ma grand-tante. Elles écrivaient des… contes de fées. »

Ah, donc on est momentanément tirés d'affaire, songea Maurice. Mieux vaut la laisser parler. « Comme chat, je ne suis pas un gros lecteur, dit-il. Alors c'était quoi, ces contes ? Des histoires de petits êtres avec des ailes qui tintinnabulent ?

— Non, répondit Malicia. Elles n'étaient pas très portées sur les petits êtres qui tintinnabulent. Elles écrivaient… de vrais contes de fées. Des contes pleins de sang, d'os, de chauves-souris et de rats. J'ai hérité de leur talent de conteuse, ajouta-t-elle.

« — Il me semblait bien que tu avais ça, dit Maurice.

— Et, s'il n'y a pas de rats sous le village mais que les chasseurs clouent des lacets de chaussure, je sens un rat sous roche.

— Pardon, dit Sardines, je crois que c'est moi. Je suis un peu nerveux... »

Des bruits leur parvinrent de l'étage.

« Vite, sortez par la cour de derrière ! ordonna Malicia. Montez au fenil au-dessus des écuries ! Je vous apporterai à manger. Je sais exactement comment se passent ces histoires-là ! »

Chapitre 5

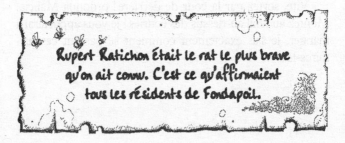

Rupert Ratichon était le rat le plus brave
qu'on ait connu. C'est ce qu'affirmaient
tous les résidents de Fondapoil.

L'Aventure de monsieur Lapinou.

D ans un tunnel à plusieurs rues de là, Noir-mat était
suspendu à quatre bouts de corde attachés à son
baudrier. Ils étaient noués à un bâton posé en
équilibre comme une bascule sur le dos d'un très gros rat,
deux autres rats étaient assis à l'autre bout, et plusieurs
autres assuraient la manœuvre.

Noir-mat pendouillait juste au-dessus du grand piège
d'acier qui barrait entièrement le tunnel.

Il couina le signal d'arrêt. Le bâton vibra légèrement
sous son poids. « Je suis juste au-dessus du fromage, dit-il.
À l'odeur, c'est du bleu de Lancre, goût relevé. Pas touché.

Date pas d'hier non plus. Avancez-moi de deux pattes*. »

Le bâton oscilla tandis qu'on le poussait en avant.

« Doucement, chef », fit un des plus jeunes rats qui emplissaient le tunnel derrière l'équipe de dépiégeage.

Noir-mat grogna et baissa les yeux sur les dents au ras de son museau. Il tira un tout petit bout de bois d'une de ses ceintures ; on avait collé à une extrémité un minuscule fragment de miroir.

« Vous autres, déplacez un peu la bougie par ici, ordonna-t-il. Voilà. C'est ça. Voyons voir maintenant… » Il avança le miroir de l'autre côté des dents et le fit doucement pivoter. « Ah, bien ce que je pensais… c'est un Petit Claquedent Babil & Jeanson, pas de doute. Un ancien modèle 3, mais avec le cran de sûreté en plus. Date pas d'hier, ça. D'accord. On connaît ces engins-là, pas vrai ? Du fromage pour le goûter, les gars ! »

Des rires nerveux fusèrent parmi les rats qui regardaient, mais une voix lança : « Oh, ils ne sont pas compliqués…

— Qui a dit ça ? » demanda sèchement Noir-mat.

Le silence lui répondit. Noir-mat tendit le cou en arrière. Les jeunes rats s'étaient prudemment écartés pour n'en laisser qu'un qui se sentait très, très seul.

« Ah, Nutritionnelle, dit Noir-mat en revenant au mécanisme de déclenchement du piège. Pas compliqués, hein ? Ravi de l'entendre. Tu peux nous montrer comment c'est fait, alors.

— Euh, quand je dis "pas compliqués"… commença Nutritionnelle, je veux dire, Saumure m'a fait voir sur le piège d'entraînement, et il a dit…

* Mesure des rats. Environ deux centimètres et demi.

— Pas de modestie, la coupa Noir-mat dont l'œil étincela. Tout est prêt. Je vais me contenter d'observer, d'accord ? Tu peux passer le harnais et t'en charger, ça te va ?

— … Mais, mais, mais je ne voyais pas bien quand il nous a montré, maintenant que j'y pense, et… et… et…

— Je vais te dire : moi, je m'occupe du piège, d'accord ? »

Nutritionnelle parut grandement soulagée.

« Et toi, tu vas me dire exactement ce qu'il faut faire.

— Euh… » Nutritionnelle avait à présent tout du rat prêt à réintégrer dans les plus brefs délais la brigade de pissage.

« Parfait. » Noir-mat éloigna doucement son miroir et sortit une longueur de métal de son baudrier. Il tâta prudemment le piège. Nutritionnelle frissonna en entendant le bruit du métal contre le métal. « Bon, où j'en étais… ? Ah oui, j'ai ici une barre, un petit ressort et un cliquet. Qu'est-ce que je fais maintenant, mademoiselle Nutritionnelle ?

— Euh… euh… euh…

— Ça grince par ici, mademoiselle Nutritionnelle, reprit Noir-mat depuis les profondeurs du piège.

— Euh… euh… vous coincez le bidule…

— Lequel c'est, le bidule, mademoiselle Nutritionnelle ? Prenez votre temps, hou-là, ce bout de métal a la tremblote mais je ne voudrais pas vous bousculer…

— Vous coincez le… euh… le bidule… euh… le bidule… euh… » Les yeux de Nutritionnelle roulaient follement dans leurs orbites.

« C'est peut-être ce gros CLAC argh argh argh… »

Nutritionnelle s'évanouit.

Noir-mat se dégagea du baudrier et se laissa tomber sur le piège. « Tout est arrangé, dit-il. Je l'ai solidement attaché,

il ne se déclenchera plus maintenant. Vous pouvez le déga-
ger du chemin, les gars. » Il revint vers l'équipe et lâcha un
bout de fromage moisi sur le ventre frissonnant de Nutritionnelle. « Dans la branche des pièges, c'est très important
d'être précis, voyez-vous. On est précis ou on est mort. La
deuxième souris ramasse le fromage. » Noir-mat renifla.
« Eh bien, un humain qui viendrait ici n'aurait aucun mal à
deviner qu'il y a maintenant des rats dans le coin… »

Les autres jeunes recrues laissèrent échapper les glousse-
ments nerveux de ceux qui ont vu un compagnon s'attirer
les foudres du professeur et se réjouissent de ne pas être à
sa place.

Noir-mat déroula un bout de papier. C'était un rat
d'action, et l'idée qu'on puisse réduire le monde à de petits
signes l'inquiétait un peu. Mais il se rendait compte combien c'était utile. Quand il dessinait le plan d'un tunnel, le
papier s'en souvenait. Il ne se laissait pas troubler par de
nouvelles odeurs. Les autres rats, s'ils savaient lire, pourraient voir dans la tête de l'auteur des notes ce que lui-
même avait vu.

Il avait inventé les cartes. C'était un dessin du monde.

« Étonnant, cette nouvelle technologie, dit-il. Donc… il y
a du poison indiqué ici, deux tunnels en arrière. Tu l'as vu,
Saumure ?

— On l'a enterré et on a pissé dessus, répondit Saumure,
son adjoint. C'était du gris numéro 2.

— Bravo. Pas bon de manger ça.

— Il y avait des cadavres de *quiquis* tout autour.

— M'étonne pas. Aucun antidote contre ce truc-là.

— On a aussi trouvé du numéro 1 et du numéro 3. En
grande quantité.

— On survit au poison numéro 1 si on a du bon sens, dit Noir-mat. N'oubliez pas ça, vous tous. Et si jamais vous avalez du numéro 3, on a de quoi vous tirer d'affaire. Enfin, vous finirez par en réchapper, mais pendant un jour ou deux vous regretterez de n'être pas morts…

— Il y a du poison en pagaïe, Noir-mat, reprit Saumure avec nervosité. Je n'en ai encore jamais vu autant. Des os de rats dans tous les coins.

— Alors je vous donne un tuyau important en matière de sécurité, dit Noir-mat en s'engageant dans un nouveau tunnel. Ne mangez pas de cadavre de rat si vous ne savez pas de quoi il est mort. Sinon vous en mourrez aussi.

— D'après Pistou, on ne devrait pas manger de rats du tout.

— Ouais, ben, peut-être, mais dans les tunnels il faut rester pratique. Ne jamais gâcher ce qui se mange. Et qu'on me ranime Nutritionnelle !

— Du poison en pagaïe, insista Saumure tandis que l'équipe se mettait en marche. Ils doivent vraiment détester les rats dans le pays. »

Noir-mat ne répondit pas. Il voyait que les rats se laissaient déjà gagner par la nervosité. Des relents de peur flottaient dans les conduits des rats. Ils n'avaient encore jamais vu autant de poison. Noir-mat n'avait pas pour habitude de céder à l'inquiétude et il détestait la sentir monter en lui, tout au fond de ses tripes…

Un petit rat, hors d'haleine, arriva à toute allure dans le tunnel et s'accroupit devant lui.

« Rognon, chef, 3e de pisseurs lourds, lâcha-t-il d'un trait. On a trouvé un piège, chef ! Pas un modèle habituel ! Fraîches a buté en plein dedans ! Venez, s'il vous plaît ! »

Il y avait beaucoup de paille dans le fenil au-dessus des écuries, et la chaleur des chevaux montant du rez-de-chaussée en faisait un nid douillet.

Keith, couché sur le dos, fixait le plafond et fredonnait tout bas. Maurice observait son déjeuner qui tortillait convulsivement du museau.

Dans les instants qui précédaient le bond, Maurice avait tout de la machine à tuer aérodynamique. Ça se gâtait juste avant qu'il saute. Son derrière s'élevait, s'agitait de plus en plus vite de gauche à droite, sa queue fouettait l'espace comme un serpent, puis il plongeait en avant, les griffes au clair…

« Couiii !

— D'accord, voilà ce que je propose, dit Maurice à la boule frissonnante entre ses griffes. Tu n'as qu'à dire quelque chose. N'importe quoi. "Laisse-moi partir", peut-être, ou même "au secours !". *Couiii*, ça ne colle pas. C'est un bruit, rien d'autre. Demande et je te laisse filer. Personne ne dira que je ne suis pas d'une grande moralité de ce côté-là.

— *Couiii !* brailla la souris.

— Très bien », conclut Maurice qui la tua net. Il la ramena dans l'angle où Keith, maintenant assis dans la paille, terminait un casse-croûte au bœuf salé.

« Elle ne parlait pas, s'empressa d'expliquer Maurice.

— Je ne t'ai rien demandé, fit Keith.

— Enfin quoi, je lui ai donné sa chance. Tu m'as entendu, pas vrai ? Elle n'avait qu'à dire qu'elle ne voulait pas se faire boulotter.

— D'accord.

— C'est facile pour toi. Je veux dire, tu n'as pas besoin de parler aux casse-croûte, poursuivit Maurice comme si quelque chose continuait de le travailler.

— Je ne saurais pas quoi leur dire.

— Et je voudrais te faire remarquer que je n'ai pas joué non plus avec elle. Un grand coup de patte et terminé, elle n'a pas eu le temps d'écrire un mot d'adieu, sauf qu'elle n'aurait évidemment pas pu l'écrire, étant totalement dépourvue d'intelligence.

— Je te crois, dit Keith.

— Elle n'a rien senti », insista Maurice.

Un cri leur parvint de quelque part dans une rue voisine, puis un fracas de vaisselle cassée. Ce n'étaient pas les premiers qu'ils entendaient depuis une demi-heure.

« On dirait que les gars sont toujours au travail, dit Maurice en portant la souris crevée derrière un tas de foin. Rien de tel pour déclencher les hauts cris que Sardines en train de danser sur la table. »

Les portes de l'écurie s'ouvrirent. Un homme entra, harnacha deux chevaux et les fit sortir. Peu après, on entendit une voiture quitter la cour.

Quelques secondes plus tard, trois coups sonores retentirent en dessous. Qui se répétèrent. Et se répétèrent encore.

Finalement, la voix de Malicia demanda : « Vous êtes là-haut ou pas, tous les deux ? »

Keith rampa hors du foin et baissa les yeux. « Oui, répondit-il.

— Vous ne m'avez pas entendue frapper selon le code ? lança Malicia en levant sur lui un regard excédé.

— Ça n'avait pas l'air d'un code, dit Maurice, la bouche pleine.

— C'est la voix de Maurice, ça ? demanda Malicia d'un air méfiant.

— Oui, répondit Keith. Faut l'excuser, il est en train de manger quelqu'un. »

Maurice avala sa bouchée à la va-vite. « Ce n'est pas quelqu'un ! souffla-t-il. Pour être quelqu'un, faut que ça parle ! Sinon, c'est juste un repas !

— Si, c'était un code ! lança Malicia d'un ton sec. Je connais ces choses-là ! Et vous devez répondre vous aussi par un code !

— Mais si c'est seulement quelqu'un qui frappe à la porte comme ça, pour rigoler, et qu'on lui répond, il va se demander ce qu'il y a là-haut, non ? dit Maurice. Un très, très gros insecte ? »

Malicia, contrairement à son habitude, resta un moment silencieuse. « Très juste, très juste, reconnut-elle enfin. Je sais, je vais crier "C'est moi, Malicia !" et ensuite frapper le code, de cette façon vous saurez que c'est moi et vous pourrez frapper le code à votre tour. D'accord ?

— Pourquoi on ne dirait pas tout bonnement "Salut, on est en haut" ? » lança Keith d'un air innocent.

Malicia soupira. « Vous n'avez donc aucun sens du drame ? Écoutez, mon père est parti au Rathaus rencontrer les autres membres du conseil. Il a dit que la vaisselle, c'était la goutte d'eau !

— La vaisselle ? fit Maurice. Tu lui as parlé de Sardines ?

— J'ai dû raconter qu'un rat énorme m'avait fait peur et que j'avais voulu grimper sur le buffet pour lui échapper.

— Tu as menti ?

« — J'ai seulement raconté une histoire, répondit sereinement Malicia. Et une bonne, d'ailleurs. Qui sonne bien plus vraie que la vérité. Un rat qui danse des claquettes ? N'importe comment, ça ne l'intéressait pas tellement parce qu'il y a eu des tas de plaintes aujourd'hui. Vos rats apprivoisés dérangent vraiment les gens. Je jubile.

— Ce ne sont pas nos rats, ils sont à eux-mêmes, rectifia Keith.

— Et ils travaillent toujours vite, dit fièrement Maurice. Ils font un boulot propre quand il faut... tout saloper.

— Dans un village qu'on visitait le mois dernier, le conseil municipal a passé une annonce pour trouver un joueur de flûte dès le lendemain matin, ajouta Keith. Un grand jour pour Sardines.

— Mon père a poussé les hauts cris et a aussi envoyé chercher Blonquette et Deslances, dit Malicia. Les chasseurs de rats ! Et vous savez ce que ça signifie, hein ? »

Maurice et Keith échangèrent un regard. « On va faire comme si on ne savait pas, répondit Maurice.

— Ça signifie qu'on peut s'introduire dans leur cabane et résoudre le mystère des queues en lacets de chaussure ! » Malicia posa sur Maurice un œil critique. « Évidemment, ce serait plus... dans le ton si on était quatre enfants et un chien, la bonne formule pour une aventure, mais on va faire avec ce qu'on a.

— Hé, on vole seulement aux gouvernements ! fit Maurice.

— Euh... seulement aux gouvernements qui ne sont pas pères de quelqu'un, manifestement, dit Keith.

— Et alors ? fit Malicia et jetant un drôle de regard à Keith.

— Ce n'est pas la même chose qu'être des criminels ! expliqua Maurice.

— Ah, mais si on a la preuve, on pourra la porter au conseil, et alors on ne sera plus des criminels parce qu'on sauvera la mise, dit Malicia dont la patience commençait à se lasser. Évidemment, le conseil et le guet peuvent parfaitement être de mèche avec les chasseurs, alors il ne faut faire confiance à personne. Franchement, vous n'avez donc jamais lu de livres ? La nuit va bientôt tomber, je vais revenir vous chercher et on pourra déclore la bénarde.

— Ah bon ? fit Keith.

— Oui. Avec une épingle à cheveux. Je sais que c'est possible parce que je l'ai lu des centaines de fois.

— C'est quel genre de bénarde ? demanda Maurice.

— Une grosse, répondit Malicia. C'est d'autant plus facile, évidemment. »

Elle pivota brusquement et sortit des écuries en courant.

« Maurice ? fit Keith.

— Oui ? répondit le chat.

— C'est quoi, une bénarde, et comment on fait pour la déclore ?

— Aucune idée. Une serrure peut-être ?

— Pourtant tu as dit…

— Oui, mais j'essayais seulement de la faire encore parler au cas où elle deviendrait violente. Elle ne va pas bien de la tête, si tu veux mon avis. Elle est comme ces gens, là… les acteurs. Tu sais. Qui jouent tout le temps. Qui ne vivent plus du tout dans le monde réel. Comme si toute l'existence n'était qu'une histoire grandeur nature. Pistou est un peu comme ça. Extrêmement dangereux, à mon avis.

— C'est un rat très gentil et très sérieux !

— Ah oui, mais l'ennui, tu vois, c'est qu'il croit tout le monde comme lui. Des mentalités pareilles, ce n'est pas bon, petit. Et notre copine, elle s'imagine que la vie se passe comme dans un conte de fées.

— Ben, ça ne fait de mal à personne, tout de même ?

— Ouais, mais, dans les contes de fées, quand quelqu'un meurt… ce n'est qu'un mot. »

Le 3e de pisseurs lourds faisait la pause ; de toute façon il était à court de munitions. Personne ne se sentait l'envie de passer devant le piège pour atteindre le filet d'eau qui s'égouttait le long du mur. Et personne ne tenait à regarder ce qu'il y avait dans le piège.

« Pauvre vieux Fraîches, fit un rat. C'était un brave rat.

— L'aurait quand même dû faire attention où il mettait les pattes, dit un autre.

— Croyait tout savoir, renchérit un troisième. Mais un bon rat, même s'il sentait un peu.

— Alors on va le sortir du piège, d'accord ? proposa le premier. Ça n'est pas bien de le laisser là comme ça.

— Oui. Surtout qu'on a faim.

— D'après Pistou, dit un des rats, on ne devrait pas du tout manger de rat.

— Non, fit un autre, seulement si tu ne sais pas de quoi il est mort, parce qu'il a peut-être été empoisonné.

— Et on sait, intervint encore un autre, de quoi lui est mort. Il est mort par écrabouillement. Ça ne s'attrape pas, l'écrabouillement. »

Ils regardèrent tous feu Fraîches.

« À votre avis, qu'est-ce qui arrive une fois qu'on est mort ? demanda lentement un rat.

— On est mangé. Ou alors on se dessèche, ou on moisit.

— Quoi, entièrement ?

— Ben, en général il reste les pieds. »

Le rat qui avait posé la question revint à la charge : « Et le truc à l'intérieur ? »

Le rat qui avait parlé des pieds répondit : « Oh, le truc vert tout mou et spongieux ? Non, ça, on le laisse aussi. Ç'a un goût dégueulasse.

— Non, je veux parler de ce qu'on a en soi et qui est soi-même. Où est-ce que ça va, ça ?

— Pardon, là je ne te suis plus.

— Ben… tu sais, comme… les rêves ? »

Les rats hochèrent la tête. Ils connaissaient les rêves. Les rêves leur avaient flanqué un drôle de choc quand ils leur étaient tombés dessus.

« Bon, alors, dans les rêves, quand on est poursuivi par des chiens, qu'on vole ou n'importe quoi… qui c'est qui nous fait ça ? Ce n'est pas notre être corporel, parce qu'il dort. Alors ça doit être un truc invisible qui vit en nous, non ? Et la mort, c'est comme quand on dort, pas vrai ?

— Pas exactement, fit un rongeur d'un ton hésitant en jetant un coup d'œil à la forme passablement aplatie précédemment connue sous le nom de Fraîches. Je veux dire, tu n'as pas de sang ni de bouts d'os qui dépassent. Et tu te réveilles.

— Alors, reprit le rat qui avait posé la question du truc invisible, quand on se réveille, où s'en va le truc qui rêve ? Quand on meurt, où s'en va ce truc qu'on a en nous ?

— Quoi ? Le truc vert tout mou ?

— Non ! Celui qu'on a derrière les yeux !

— Tu veux parler du truc gris-rose ?

— Non, pas ça ! Le truc invisible !

— Comment je saurais, moi ? Je n'ai jamais vu de truc invisible ! »

Tous les rats regardaient fixement Fraîches.

« Je n'aime pas ce genre de discussion, dit l'un d'eux. Ça me rappelle les ombres dans la lumière des bougies.

— Vous avez déjà entendu parler du rat squelette ? demanda un autre. Il vient nous prendre quand on est morts, à ce qu'on dit.

— À ce qu'on dit, à ce qu'on dit, marmonna un rat. À ce qu'on dit, il y a un grand rat sous terre qui a tout créé, à ce qu'on dit. Alors il a aussi créé les hommes ? Il doit nous avoir drôlement à la bonne pour avoir aussi créé les hommes ! Huh ?

— Comment je saurais ? Ils ont peut-être été créés par un grand humain ?

— Oh, là tu racontes n'importe quoi, fit le rat incrédule qui portait le nom de Tomate.

— D'accord, d'accord, mais faut reconnaître que tout n'a pas pu, disons, arriver comme ça par hasard, pas vrai ? Il y a forcément une raison. Et, d'après Pistou, il y a des choses qu'on doit faire parce que c'est bien de les faire, mais, d'un autre côté, qui décide de ce qui est bien ? Le bien et le mal, ça vient d'où ? À ce qu'on dit, quand tu as été un bon rat, le rat squelette peut t'emmener dans un tunnel où le Grand Rat garde plein de bonnes choses à manger...

— Mais Fraîches est toujours là. Et je n'ai pas vu de rat squelettique !

— Ah, on raconte que tu ne le vois que s'il vient pour toi.

— Oh? Oh? fit un autre rat, nerveux au point de tomber dans le sarcasme délirant. Alors, ceux qui racontent ça, comment est-ce qu'ils l'ont vu, hein? Qu'on me le dise! La vie est déjà assez moche sans qu'on ait à s'inquiéter de machins invisibles qu'on ne peut pas voir!

— D'accord, d'accord, qu'est-ce qui s'est passé? »

Les rats se retournèrent, soudain drôlement contents de voir Noir-mat rappliquer à toutes pattes dans le tunnel.

Noir-mat écarta tout le monde. Il avait amené Nutritionnelle avec lui. Il n'était jamais trop tôt, affirmait-il, pour un membre de la brigade de constater ce qui arrivait à ceux qui commettaient des erreurs.

« Je vois », dit-il en découvrant le piège. Il secoua tristement la tête. « Qu'est-ce que je répète toujours, vous tous?

— De ne pas emprunter les tunnels tant qu'on n'a pas déclaré la voie libre, chef, répondit Tomate. Mais Fraîches, ben, il ne sait pas... il ne savait pas bien écouter. Et il lui tardait de se mettre au boulot, chef. »

Noir-mat examina le piège et s'efforça de garder une expression confiante et résolue. Mais ça ne lui était pas facile. Il n'avait jamais vu un tel piège. Franchement malfaisant d'aspect, il tenait du presse-fruits plutôt que du hachoir. On l'avait disposé là où un rat se ruant vers l'eau devait forcément le déclencher.

« Il n'écoutera plus maintenant, ça c'est sûr, dit-il. Je connais cette tête-là, en dehors des yeux exorbités et de la langue pendante, j'entends.

— Euh... vous avez parlé à Fraîches à l'appel de ce matin, lui remit en mémoire un rat. Vous lui avez dit qu'il était fait pour être pisseur et de se mettre au boulot, chef. »

La tête de Noir-mat resta impassible. « Faut qu'on y aille, dit-il alors. On trouve des tas de pièges partout. On reviendra vous chercher. Personne ne doit aller plus loin dans ce tunnel, c'est compris ? Et tout le monde me dit : "Oui, Noir-mat !"

— Oui, Noir-mat, répétèrent en chœur les rats.

— Et l'un de vous reste de garde. Il y a peut-être d'autres pièges par là.

— Qu'est-ce qu'on fait de Fraîches, chef ? demanda Tomate.

— Ne mangez pas le truc vert tout mou », répondit Noir-mat qui s'en repartit en vitesse.

Les pièges ! songeait-il. Il y en avait trop. Et aussi trop de poison. Même les rats expérimentés de la brigade devenaient nerveux à présent. Il n'aimait pas tomber sur ce qu'il ne connaissait pas. On découvrait ce que c'était au moment où on se faisait tuer.

Les rats se répandaient sous le village, et ça ne ressemblait à aucun autre village qu'ils avaient connu. Tout le patelin n'était qu'une ratière. Ils n'avaient pas vu un seul *quiqui* vivant. Pas la queue d'un. Pas normal, ça. Toutes les villes abritaient des rats. Quand il y avait des hommes, il y avait des rats.

Et pour couronner le tout, les jeunes rats passaient trop de temps à se poser des questions sur… des trucs. Des trucs qu'on ne voyait pas, qu'on ne sentait pas. Des trucs impalpables. Noir-mat secoua la tête. Il n'y avait pas place dans les tunnels pour de telles élucubrations. La vie, c'était du réel, du pratique, et elle pouvait s'interrompre très vite si on ne faisait pas attention…

Il remarqua Nutritionnelle qui jetait des regards autour d'elle et flairait l'air ambiant tandis qu'ils trottaient le long d'un conduit.

« C'est ça, approuva-t-il. On n'est jamais trop prudent. Ne jamais foncer droit devant. Même le rat qui te précède a pu avoir un coup de chance et passer à côté du déclic.

— Oui, chef.

— Mais ne te pose pas trop de questions quand même.

— Il avait l'air affreusement… aplati, chef.

— Les imbéciles se précipitent, Nutritionnelle. Les imbéciles se précipitent… »

Noir-mat sentait la peur se répandre. Ça l'inquiétait. Si les Changés paniquaient, ce seraient comme des rats. Et les tunnels de ce village ne valaient rien pour un rat détalant de terreur. Mais si un seul rat rompait les rangs pour se mettre à courir, la plupart suivraient. L'odeur était primordiale dans les tunnels. Quand tout allait bien, tout le monde se sentait à l'aise. Quand la peur arrivait, elle envahissait les galeries comme une crue. La panique dans le monde des rats était une maladie qui se propageait trop facilement.

La situation ne s'arrangea pas lorsqu'ils rejoignirent le reste de l'équipe de dépiégeage. Cette fois ils avaient trouvé un nouveau poison.

« Pas de quoi s'inquiéter, dit Noir-mat qui s'inquiétait. On a déjà vu de nouveaux poisons, non ?

— Pas depuis une éternité, répliqua un rat. Vous vous rappelez celui de Scrote ? Avec les petits morceaux bleus scintillants ? Ça brûlait si on s'en mettait sur les pattes ? On est passés dedans avant de savoir ce qui nous arrivait ?

— Ils ont ça ici ?

— Vous feriez mieux de venir voir. »

Dans un des tunnels, une rate gisait sur le flanc. Elle avait les pattes toutes recroquevillées, serrées comme des poings. Elle geignait. Noir-mat lui jeta un coup d'œil et sut que, pour cette rate-là, c'était terminé. Ce n'était qu'une question de temps. Pour ceux de Scrote, ç'avait été une question de temps atroce. « Je pourrais la mordre à la nuque, proposa un rat. Ce serait vite fini.

— C'est gentil de ta part, mais ce machin pénètre dans le sang, dit Noir-mat. Trouvez-moi un piège claqueur qu'on n'a pas désarmé. Et soyez prudents.

— Mettre un piège dans un piège, chef ? fit Nutrition-nelle.

— Oui ! Mieux vaut une mort rapide que lente !

— Tout de même, c'est... » voulut protester le rat qui avait proposé de mordre l'agonisante.

Les poils autour de la tête de Noir-mat se dressèrent tout debout. Il se cabra et montra les dents. « Fais ce qu'on te dit, sinon c'est toi que je mords ! » rugit-il.

L'autre recula en se faisant tout petit. « D'accord, Noir-mat, d'accord...

— Et préviens les autres équipes ! beugla Noir-mat. Il ne s'agit pas de chasse aux rats mais de guerre ! Tout le monde regagne l'arrière en vitesse ! On ne touche à rien ! On va... Oui ? Quoi, cette fois ? »

Un petit rat s'était approché discrètement de Noir-mat. Lorsque le dépiégeur pivota vers lui, le nouvel arrivant s'accroupit aussitôt et roula presque sur le dos pour mon-trer à quel point il était insignifiant et inoffensif.

« S'il vous plaît, chef... marmonna-t-il.

— Oui ?

— Cette fois on en a trouvé un vivant... »

Chapitre 6

> Il y avait de grandes aventures et de petites aventures, monsieur Lapinou le savait. Personne ne prévenait de leur importance avant qu'on s'y lance. On vivait parfois une grande aventure sans même bouger.

L'Aventure de monsieur Lapinou.

« Salut ? Salut, c'est moi. Et je vais maintenant frapper le code secret ! » On frappa trois fois à la porte de l'écurie, puis la voix de Malicia s'éleva encore. « Hého, vous avez entendu le code secret ?

— Elle s'en ira peut-être si on ne répond pas, dit Keith dans la paille.

— Ça m'étonnerait », fit Maurice. Il haussa la voix et lança : « On est là-haut !

— Vous devez quand même répondre par le code secret, cria Malicia.

— Oh, *prbllttrrrp* », dit Maurice tout bas, et par bonheur aucun humain ne sait à quel point ce gros mot est épouvantable en langue féline. « Écoute, c'est moi, d'accord ? Un chat ? Qui parle ? Comment est-ce que tu vas me reconnaître ? Est-ce que je dois porter un œillet rouge ?

— Je ne crois pas que tu sois un véritable chat parlant, de toute façon », dit Malicia en grimpant à l'échelle. Elle était encore vêtue de noir et avait ramassé ses cheveux sous un foulard également noir. Elle portait aussi un grand sac à l'épaule.

« Bon sang, tu fais ça bien, la complimenta Maurice.

— Je veux dire, tu n'as pas de bottes, pas d'épée ni de grand chapeau avec une plume », ajouta Malicia en se hissant dans le fenil.

Maurice la fixa longuement. « Des bottes ? finit-il par dire. Avec ces pattes-là ?

— Oh, c'était une illustration dans un livre que j'ai lu, répondit calmement Malicia. Un livre niais pour enfants. Plein d'animaux qui s'habillent comme les hommes. »

Il vint à l'esprit de Maurice, et ce n'était d'ailleurs pas la première fois, qu'en se dépêchant il pourrait être sorti du village en cinq minutes et embarquer sur une péniche, n'importe quoi.

Un jour, quand il n'était guère qu'un chaton, une fillette l'avait emmené chez elle pour l'habiller de vêtements de poupée et l'asseoir à une petite table en compagnie de deux poupées et des trois quarts d'un nounours. Il avait réussi à s'échapper par une fenêtre ouverte, mais il avait passé la journée à se débarrasser de la robe. Cette fillette aurait pu être Malicia. Pour elle, les animaux n'étaient que des gens qui n'avaient pas fait assez gaffe.

« Moi, je ne donne pas dans les vêtements », dit-il. Ce n'était pas fameux comme repartie, mais c'était sûrement préférable à : « Je crois que tu es cinglée. »

« Ça pourrait être mieux, répliqua-t-elle. Il fait presque nuit. Allons-y ! On va se faufiler comme des chats !

— Oh, très bien, dit Maurice. Ça, je sais faire, je pense. »

Mais, quelques minutes plus tard, il se disait qu'aucun chat ne se faufilait comme Malicia. Elle croyait manifestement que ça ne servait à rien de passer inaperçu si personne ne s'en rendait compte. Les passants s'arrêtaient carrément pour la regarder se glisser le long des murs et détaler de seuil en seuil. Maurice et Keith la suivaient nonchalamment. Nul ne leur prêtait attention.

Elle finit par s'arrêter dans une rue étroite devant un bâtiment noir ; au-dessus de la porte pendait une enseigne en bois ornée d'un dessin d'une multitude de rats, comme une étoile de rongeurs dont toutes les queues étaient attachées ensemble en un gros nœud.

« L'enseigne de l'ancienne Guilde des Chasseurs de Rats, souffla Malicia en faisant tomber d'une secousse le sac de son épaule.

— Je sais, dit Keith. Je trouve ça horrible.

— Mais ça donne un dessin intéressant. »

Une des particularités de la porte sous l'enseigne, c'était le gros cadenas qui la maintenait fermée. Curieux, songea Maurice. Si les rats font exploser les jambes, pourquoi les chasseurs doivent-ils poser un gros cadenas à leur cabane ?

« Heureusement, je suis prête à toutes les éventualités, dit Malicia en plongeant la main dans son sac. On entendit des bruits de bouts de métal et de bouteilles qu'on déplace.

— Qu'est-ce que tu as là-dedans ? Tout ?

— Le grappin et l'échelle de corde prennent beaucoup de place, répondit Malicia tout en continuant de farfouiller. Ensuite, j'ai la grande trousse de médicaments, puis la petite trousse de médicaments, le couteau, l'autre couteau, la trousse à couture, le miroir pour envoyer des signaux et... ça... »

Elle sortit un petit ballot de tissu noir. Quand elle le déroula, Maurice vit luire du métal.

« Ah, dit-il. Des rossignols, c'est ça ? J'ai vu des cambrioleurs à l'œuvre...

— Des épingles à cheveux, rectifia Malicia qui en choisit une. L'épingle à cheveux, ça marche toujours dans les livres que j'ai lus. On la pousse dans le trou de serrure et on l'agite. J'ai un assortiment d'épingles déjà recourbées. »

Une fois de plus, Maurice sentit un petit frisson sur sa nuque. Ça marche dans les histoires, songea-t-il. Oh là là. « Et comment ça se fait que tu t'y connaisses autant en rossignols ? demanda-t-il.

— Je te l'ai dit, on m'enfermait dans ma chambre pour me punir », répondit Malicia en agitant son épingle.

Maurice avait vu des voleurs au travail. Les individus qui entrent dans des bâtiments par effraction n'aiment pas voir des chiens, mais ils se fichent des chats. Les chats ne cherchent jamais à leur arracher la gorge. Et ce qu'utilisent le plus souvent les voleurs, il le savait, c'étaient de petits outils tarabiscotés dont ils se servaient avec grand soin et grande précision. Ils ne se servaient pas de ridic...

Clic !

« Bien, fit Malicia d'une voix satisfaite.

— Un coup de chance, c'est tout », dit Maurice alors que le cadenas pendait, ouvert. Il leva les yeux sur Keith. « Toi aussi, tu penses que c'est un coup de chance, hein, petit ?

— Comment je saurais ? fit Keith. Je n'ai encore jamais vu faire ça.

— J'étais sûre que ça marcherait, dit Malicia. Ç'a marché dans le conte de fées *La Septième Femme de Barbe-verte*, quand elle s'est échappée de sa chambre des horreurs et l'a poignardé dans l'œil avec un hareng congelé.

— C'est un conte de fées, ça ? s'étonna Keith.

— Oui, répondit fièrement Malicia. Tiré des *Contes de Crime*.

— Vous avez de sales fées par ici », dit Maurice en secouant la tête.

Malicia poussa la porte. « Oh non, gémit-elle. Je ne m'attendais pas à ça... »

Quelque part entre les pattes de Maurice et à peu près à une rue de là, le seul rat local que les Changés avaient trouvé en vie se faisait tout petit devant Pistou. On avait rappelé les équipes. La journée s'annonçait mauvaise.

Des pièges qui ne tuaient pas, songeait Noir-mat. On en voyait parfois. Parfois les hommes voulaient prendre les rats vivants.

Noir-mat se méfiait des hommes qui voulaient prendre les rats vivants. Les pièges honnêtes qui tuaient net... ben, c'était de la saleté, mais on arrivait le plus souvent à les éviter et au moins ils avaient un côté propre. Les pièges qui laissaient en vie, c'était comme du poison. Ils trichaient.

Pistou observait le nouvel arrivant. C'était curieux, mais le rat dont l'esprit divergeait le plus de celui de ses semblables était aussi le plus apte à parler aux *quiquis*, sauf que « parler » n'était pas le verbe adéquat. Personne, pas même Pur-Porc, n'avait l'odorat aussi développé que Pistou.

Le nouveau rat ne posait assurément pas de problèmes. Il faut dire qu'il était entouré de grands rats bien nourris et coriaces, aussi clamait-il par le langage du corps « chef » aussi fort qu'il le pouvait. Les Changés lui avaient en outre donné à manger, et il s'empiffrait plutôt qu'autre chose.

« Elle était dans une boîte, expliqua Noir-mat qui dessinait par terre à l'aide d'un bâton. Il y en a des tas par ici.

— Je me suis fait prendre comme ça une fois, dit Pur-Porc. Puis une femme est venue et m'en a fait tomber par-dessus le mur du jardin. Je n'ai pas compris à quoi ça rimait.

— Je crois que certains humains font ça par gentillesse, intervint Pêches. Ils se débarrassent des rats de la maison sans les tuer.

— Ça ne l'a pas avancée à grand-chose, de toute façon, reprit Pur-Porc d'un air satisfait. Je suis revenu la nuit suivante et j'ai pissé sur le fromage.

— Je ne crois pas qu'il soit question de gentillesse dans le cas présent, dit Noir-mat. Il y avait un autre rat avec elle dans la boîte. Du moins, ajouta-t-il, une partie d'un autre rat. Je crois qu'elle l'a mangé pour rester en vie.

— Très sensé, approuva Pur-Porc en hochant la tête.

— On a trouvé autre chose, dit Noir-mat en continuant de dessiner des sillons par terre. Vous voyez ça, chef ? »

Il avait dessiné des lignes et des gribouillis dans la poussière.

« Hrumph. Je vois, mais je ne suis pas obligé de savoir ce que c'est », répondit Pur-Porc. Il se frotta le museau. « Je n'ai jamais eu besoin d'autre chose que ça. »

Noir-mat poussa un soupir patient. « Alors sentez, chef, que c'est une... une représentation de tous les tunnels qu'on a explorés aujourd'hui. C'est... la forme que j'ai en tête. On a exploré une grande partie du village. Il y a beaucoup de... (il jeta un coup d'œil à Pêches) de pièges *gentils*, la plupart vides. Il y a du poison partout. Qui date, dans la majorité des cas. Des tas de pièges qui ne tuent pas vides. Des tas de pièges qui tuent encore en place. Et aucun rat vivant. Pas un, en dehors de notre... nouvelle amie. On sait qu'il se passe quelque chose de très bizarre. J'ai flairé un peu dans le coin où je l'ai trouvée, et j'ai senti des rats. Beaucoup de rats. Vraiment beaucoup.

— Vivants ? demanda Pistou.

— Oui.

— Tous au même endroit ?

— C'est ce que j'ai senti. Je crois qu'une équipe devrait aller jeter un coup d'œil. »

Pistou se rapprocha de la rate et la flaira encore. La rate le renifla à son tour. Ils se touchèrent les pattes. Les Changés qui observaient la scène n'en revenaient pas. Pistou traitait la *quiqui* en égale.

« Beaucoup de choses, beaucoup de choses, murmura-t-il. Beaucoup de rats... des hommes... peur... beaucoup de peur... beaucoup de rats, entassés... à manger... rat... Vous avez dit qu'elle a mangé du rat ?

— C'est un monde où le rat est un loup pour le rat, dit Pur-Porc. Ça a toujours été et ça sera toujours comme ça. »

Pistou plissa le museau. « Il y a autre chose... Quelque chose... de bizarre. Curieux... elle a vraiment peur.

— Elle était dans un piège, dit Pêches. Et ensuite elle nous a rencontrés.

— Autrement... pire que ça. Elle... elle a peur de nous parce qu'on est des rats étranges mais, d'après l'odeur, elle a l'air soulagée qu'on ne soit pas... ce qu'elle avait l'habitude...

— Des hommes ! cracha Noir-mat.

— Je... ne... crois... pas...

— D'autres rats ?

— Oui... non... je... ne... Difficile à dire...

— Des chiens ? Des chats ?

— Non. » Pistou recula. « Quelque chose de nouveau.

— Qu'est-ce qu'on va faire d'elle ? demanda Pêches.

— La laisser partir, j'imagine.

— On ne peut pas faire ça ! dit Noir-mat. On a déclenché tous les pièges qu'on a trouvés mais il reste du poison partout. Je n'enverrais même pas une souris dans tout ça. Elle n'a pas cherché à nous agresser, après tout.

— Et alors ? lança Pur-Porc. Est-ce que ça compte, un *quiqui* mort de plus ?

— Je sais ce que veut dire Noir-mat, fit Pêches. On ne peut pas l'envoyer à la mort comme ça. »

Grosses-Remises s'avança, entoura la jeune rate de la patte et la serra en un geste protecteur. Elle jeta un regard noir à Pur-Porc. Même si elle lui donnait parfois de petits coups de dent quand elle était contrariée, elle ne discutait pas avec lui. Elle était trop âgée pour ça. Mais son regard disait : Tous les mâles sont bêtes, espèce de vieil imbécile.

Il avait l'air perdu. « On a tué des *quiquis*, non ? fit-il d'un air triste. Pourquoi garder celle-là dans nos pattes ?

— On ne peut pas l'envoyer à la mort », répéta Pêches en observant la mine de Pistou. Les yeux roses du rat albinos se perdaient dans le vague.

« Tu veux qu'on la traîne avec nous, qu'elle mange nos vivres et flanque le bazar ? fit Pur-Porc. Elle ne parle pas, elle ne pense pas…

— Nous non plus, il n'y a pas si longtemps ! cracha Pêches. On était tous comme elle !

— Maintenant on pense, jeune femelle ! fit Pur-Porc dont les poils se hérissaient.

— Oui, dit tranquillement Pistou. Maintenant on pense. On peut réfléchir à ce qu'on fait. On peut prendre en pitié l'innocent qui ne nous veut aucun mal. Voilà pourquoi elle peut rester. »

Pur-Porc tourna sèchement la tête. Pistou faisait toujours face à la nouvelle venue. Pur-Porc se cabra instinctivement dans la posture du rat prêt à combattre. Mais Pistou ne le voyait pas.

Pêches observait le vieux rat d'un œil inquiet. Il se voyait défié par un petit rat à l'air de mauviette qui ne tiendrait pas une seconde en combat. Et Pistou ne s'était même pas rendu compte qu'il avait lancé le défi.

Il ne pense pas ainsi, se dit Pêches.

Les autres rats observaient Pur-Porc. Eux pensaient encore ainsi, et ils attendaient de voir ce qu'il allait faire.

Mais même Pur-Porc finit par comprendre que sauter sur le rat blanc était impensable. Autant se couper sa propre queue. Il laissa prudemment sa colère retomber. « Ce n'est qu'un rat, marmonna-t-il.

— Mais pas vous, cher Pur-Porc, dit Pistou. Est-ce que vous voulez accompagner la brigade de Noir-mat pour découvrir d'où elle vient ? Ça pourrait être dangereux. »

À ces mots, les poils de Pur-Porc se hérissèrent encore. « Je n'ai pas peur du danger ! rugit-il.

— Bien entendu. C'est pour ça que vous devriez y aller. Elle était terrifiée, elle, dit Pistou.

— Je n'ai jamais eu peur de rien ! » s'écria Pur-Porc.

Pistou se tourna alors vers lui. À la clarté des bougies, on vit une lueur dans les yeux roses. Pur-Porc n'était pas un rat qui passait beaucoup de temps à réfléchir sur ce qu'il ne voyait pas, ne sentait pas, ne mordait pas, mais…

Il leva la tête. La lumière des bougies faisait danser de grandes silhouettes de rats sur le mur. Pur-Porc avait entendu les jeunes rats parler d'ombres, de rêves et de ce qui arrivait à son ombre quand on mourait. Il ne s'inquiétait pas de ces histoires-là. Les ombres ne mordaient pas. Il n'y avait rien à craindre dans les ombres. Mais à présent il entendait sa propre voix sous son crâne lui dire : J'ai peur de ce que voient ces yeux-là. Il jeta un regard mauvais à Noir-mat qui grattait quelque chose dans la boue avec un de ses bâtons. « Je vais y aller, mais c'est moi qui conduis l'expédition, dit-il. Je suis le rat le plus âgé ici !

— Ça ne me gêne pas, fit Noir-mat. Clic-clic passera devant, de toute manière.

— Je croyais qu'il s'était fait écraser la semaine dernière ? s'étonna Pêches.

— Il nous en reste deux. Ensuite il faudra faire une razzia dans une autre boutique d'animaux de compagnie.

— C'est moi le grand chef, intervint Pur-Porc. C'est moi qui ordonne ce qu'on fait, Noir-mat.

— Très bien, chef. Très bien, dit Noir-mat tout en continuant de dessiner dans la boue. Et tu sais comment on rend tous les pièges inoffensifs, n'est-ce pas ?

— Non, mais je peux t'en donner l'ordre !

— Bien. Bien, répéta Noir-mat qui traça d'autres traits dans la boue sans lever les yeux sur le chef. Et tu vas me dire quels leviers il ne faut pas toucher et quelles parties mobiles il faut coincer en position ouverte, hein ?

— Je ne suis pas obligé de comprendre le fonctionnement des pièges.

— Mais moi si, chef, reprit Noir-mat de la même voix calme. Et je te dis qu'il y a deux ou trois choses dans ces nouveaux pièges que je ne comprends pas, et, tant que je n'aurai pas compris, je te suggère très respectueusement de me laisser mener les opérations.

— Ce n'est pas une façon de parler à un rat supérieur ! »

Noir-mat lui jeta un regard. Pêches retint son souffle.

C'est l'épreuve de force, se dit-elle. C'est là qu'on voit qui est le chef.

« Pardon, dit alors Noir-mat. Je ne voulais pas être impertinent. »

Pêches sentit l'étonnement chez les vieux mâles qui suivaient la scène. Noir-mat. Il s'était dérobé ! Il n'avait pas bondi !

Mais il ne s'était pas fait tout petit non plus.

Le pelage de Pur-Porc retomba. Le vieux rat ne savait plus quelle attitude tenir. Tous les signaux se mélangeaient.

« Ben, euh…

— À l'évidence, en tant que grand chef, c'est à toi de donner les ordres, dit Noir-mat.

— Oui, euh…

— Mais mon conseil, chef, c'est d'enquêter là-dessus. Ce qu'on ne connaît pas est dangereux.

— Oui, c'est sûr, fit Pur-Porc. Oui, effectivement. On va enquêter. Évidemment. Occupe-toi de ça. Je suis le grand chef, et c'est ce que j'ordonne. »

Maurice passa en revue l'intérieur de la cabane des chasseurs de rats.

« Ça ressemble à une cabane de chasseurs de rats, dit-il. Des établis, des chaises, un poêle, des tas de peaux de rongeurs qui pendouillent, des piles de vieux pièges, deux muselières pour chien, des rouleaux de treillis métallique et partout les preuves d'une absence totale de ménage. C'est ce que je m'attendais à trouver dans une cabane de chasseurs de rats.

— Moi, je m'attendais à quelque chose... d'horrible mais intéressant, fit Malicia. Une preuve effrayante.

— Il faut une preuve ? demanda Keith.

— Évidemment ! répondit Malicia en regardant sous une chaise. Écoute, le chat, il y a deux sortes d'individus dans le monde. Ceux qui sont au courant de l'intrigue et les autres.

— Il n'y a pas d'intrigue dans le monde, dit Maurice. Les événements... arrivent comme ça, les uns après les autres.

— Seulement si tu vois les choses sous cet angle, objecta Malicia avec bien trop de suffisance du point de vue de Maurice. Il y a toujours une intrigue. Il suffit de savoir où regarder. » Elle marqua un temps avant de reprendre :

« Regarder ! Tout est là ! Il y a un passage secret, c'est évident ! On va tous chercher l'entrée du passage secret !

— Euh… comment on sait qu'il s'agit de l'entrée d'un passage secret ? demanda un Keith à l'air encore plus ahuri que d'habitude. À quoi ça ressemble, un passage secret ?

— Sûrement pas à un passage secret, évidemment !

— Oh, ben, dans ce cas, j'en vois des dizaines, dit Maurice. Des portes, des fenêtres, ce calendrier de la Société des poisons Acme, le placard là-bas, le trou de rat, le bureau, le…

— Tu fais de l'ironie, le coupa Malicia qui souleva le calendrier pour examiner le mur avec grand sérieux.

— En réalité, je fais de l'irrévérence, répliqua Maurice, mais je peux essayer l'ironie si tu veux. »

Keith fixait le grand établi devant une fenêtre sur laquelle de vieilles toiles d'araignée formaient comme une couche de givre. Des pièges s'entassaient dessus. Toutes sortes de pièges. Et à côté s'alignaient des rangées successives de vieilles boîtes de conserve cabossées et de bocaux aux étiquettes libellées *Danger : dioxyde d'hydrogène !*, *Toxirat*, *Tripenfeu*, *Polynamisulfeulakasrol : extrême prudence*, *Ratonnade !!!*, *Ratiboise !*, *Essence de fil de fer barbelé : danger !!!* et… (il se pencha plus près pour regarder la suivante) *Sucre*. Traînaient également deux chopes et une théière. De la poudre blanche, verte et grise était éparpillée sur l'établi. Il en était même tombé par terre.

« Tu pourrais essayer de nous aider, dit Malicia en tapotant les murs.

— Je ne sais pas chercher quelque chose qui ne ressemble pas à ce que je cherche, répondit Keith. Et ils gardent le poison juste à côté du sucre ! Tant de poisons… »

Malicia recula et repoussa les cheveux de ses yeux. « Ça ne marche pas, dit-elle.

— J'imagine qu'il peut ne pas y avoir de passage secret, fit Maurice. Je sais que c'est une idée un peu osée, mais c'est peut-être seulement une cabane ordinaire, non ? »

Même Maurice bascula légèrement en arrière sous la force du regard de Malicia.

« Il y a forcément un passage secret, dit-elle. Sinon ça ne rime à rien. » Elle claqua des doigts. « Évidemment ! On s'y prend mal ! Tout le monde sait qu'on ne trouve pas le passage secret en le cherchant ! C'est quand on abandonne et qu'on s'appuie contre le mur qu'on déclenche par hasard l'ouverture secrète ! »

Maurice se tourna vers Keith, en quête d'assistance. C'était un humain, après tout. Il devait savoir comment se dépatouiller d'une Malicia. Mais Keith déambulait ici et là dans la cabane, regardait partout, l'œil écarquillé.

Malicia s'adossa au mur d'un air extrêmement nonchalant. Il n'y eut pas de déclic. Aucun panneau par terre ne coulissa. « Sans doute pas le bon endroit, dit-elle. Je vais poser mon bras innocemment sur ce portemanteau. » Aucune porte n'apparut soudain dans le mur. « Évidemment, ce serait plus facile s'il y avait un chandelier tarabiscoté, reprit Malicia. Il y a toujours un levier pour passage secret, c'est infaillible. Tous les aventuriers savent ça.

— Il n'y a même pas de bougeoir, dit Maurice.

— Je sais. Certains manquent complètement d'idées sur la façon de concevoir un passage secret digne de ce nom. » Elle s'appuya contre un autre pan de mur sans obtenir aucun effet.

« Je ne crois pas que tu le trouveras comme ça, dit Keith qui examinait attentivement un piège.

— Ah oui ? Tu crois ça ? fit Malicia. Ben, au moins, je suis constructive, moi ! Et tu chercherais où, toi qui es un spécialiste ?

— Pourquoi est-ce qu'il y a un trou de rat dans une cabane de chasseurs de rats ? Ça sent le rat crevé, le chien mouillé et le poison. Je ne m'approcherais pas d'un coin pareil si j'étais un rat. »

Malicia lui lança un regard mauvais. Puis sa figure exprima une concentration intense, comme si elle mettait à l'essai plusieurs idées dans sa tête. « Ou-ui, fit-elle. Ça marche en général dans les histoires. C'est souvent le personnage niais qui donne la bonne idée par hasard. » Elle s'accroupit et fouilla le trou du regard. « Il y a une espèce de petit levier, dit-elle. Je vais le pousser légèrement... »

Un déclic se produisit sous leurs pieds, *clonk*, un panneau dans le sol bascula et Keith disparut hors de vue.

« Ah oui, fit Malicia, je pensais bien qu'un truc de ce genre devait se produire... »

Dans un ronronnement, Clic-clic parcourait le tunnel en se cognant d'un bord à l'autre.

Les jeunes rats lui avaient mâchouillé les oreilles, un piège avait sectionné sa queue de ficelle et d'autres l'avaient cabossé un peu partout, mais il jouissait d'un avantage : les pièges inopinés ne pouvaient pas tuer Clic-clic parce qu'il n'était pas vivant, et il n'était pas vivant parce qu'il était mû mécaniquement.

Sa clé tournait en bourdonnant. Un bout de bougie lui brûlait sur le dos. Le 1er de dépiégeage la suivait des yeux.

« Ça ne va pas tarder… » dit Noir-mat.

Un claquement, puis un bruit qu'on ne pourrait exprimer que par *gloïng!*. La lumière s'éteignit. Un rouage revint ensuite lentement dans le tunnel pour s'abattre devant Pur-Porc.

« Il me semblait bien que le terrain était un peu chamboulé là-bas », dit Noir-mat d'un ton satisfait. Il se retourna. « D'accord, les gars! Activez l'autre clic-clic, et je veux qu'une demi-douzaine d'entre vous me retirent ce piège avec une corde et le dégagent du chemin! »

— Toute cette reconnaissance du terrain nous ralentit, Noir-mat, dit Pur-Porc.

— Très bien, chef, repartit Noir-mat tandis que le peloton filait sans perdre de temps. Passe devant. Ce serait une bonne idée parce qu'il ne nous reste plus qu'un seul clic-clic. J'espère qu'il y a une boutique d'animaux de compagnie dans ce village*.

— Je pense seulement qu'on devrait avancer plus vite, dit Pur-Porc.

— D'accord, alors vas-y, chef. Tâche de nous crier où se trouve le piège suivant avant qu'il te surprenne.

---

* Les rats en avaient trouvé une dans la ville de Quirm, là où ils avaient récupéré les « Clic-clic ». Ils trônaient sur une étagère libellée *Jouets pour Minou* en compagnie de rats couineurs en caoutchouc, dénommés avec beaucoup d'imagination « Couinou ». Les rats avaient essayé de déclencher les pièges en les asticotant avec un rongeur en caoutchouc au bout d'un bâton, mais le couinement quand le piège se refermait incommodait tout le monde. En revanche, on se fichait de ce qui arrivait à Clic-clic.

— C'est moi le grand chef, Noir-mat.

— Oui, chef, pardon. On est tous un peu fatigués.

— C'est un secteur malsain, Noir-mat, dit Pur-Porc d'un ton las. J'en ai connu, de sales trous *rprptlt*, mais ici c'est le pire.

— C'est vrai, chef. Ce coin est mort.

— Quel est ce mot que Pistou a inventé ?

— Maléfique », répondit Noir-mat en regardant l'équipe tirer le piège hors des parois du tunnel. Il voyait des ressorts et des rouages estropiés dans les mâchoires. « Je ne comprenais pas de quoi il parlait sur le moment, ajouta-t-il. Mais je crois maintenant savoir ce qu'il voulait dire. »

Il jeta un coup d'œil dans le tunnel derrière lui vers une flamme qui brûlait et empoigna un rat qui passait. « Pêches et Pistou doivent rester carrément à l'arrière, compris ? dit-il. Je ne veux pas qu'ils avancent plus loin.

— D'accord ! » fit le rat qui détala.

L'expédition progressa avec prudence alors que le tunnel s'ouvrait dans un conduit large et ancien. Un filet d'eau coulait par terre. De vieux tuyaux tapissaient le plafond. Ici et là, de la vapeur s'en échappait en sifflant. Une faible lumière verte filtrait par une grille de rue plus loin dans le conduit.

Ça sentait le rat. L'odeur était fraîche. Effectivement, il y avait un rat qui grignotait dans une coupelle posée sur une brique délabrée. Il jeta un coup d'œil aux Changés et prit la fuite.

« Courez-lui après ! brailla Pur-Porc.

— Non ! » cria Noir-mat.

Deux rats qui s'étaient élancés à la poursuite du *quiqui* hésitèrent.

« J'ai donné un ordre ! » rugit Pur-Porc en se tournant vers Noir-mat.

L'expert en pièges s'accroupit brièvement. « Bien entendu, dit-il. Mais je crois que la décision de Pur-Porc *en possession de tous les faits* sera différente de celle du Pur-Porc qui vient de crier parce qu'il a vu un rat s'enfuir, hmm ? Flaire l'air ambiant ! »

Le museau de Pur-Porc se plissa. « Du poison ? »

Noir-mat opina. « Gris nº 2, fit-il. Une infection. Vaut mieux se tenir à l'écart. »

Pur-Porc regarda des deux côtés dans le conduit. Celui-ci se prolongeait à perte de vue, juste assez haut pour qu'un homme puisse y ramper. Des tas de tuyaux plus petits pendaient près du plafond. « Il fait chaud ici, dit-il.

— Oui, chef. Pêches a lu le guide. Des sources d'eau chaude jaillissent de terre par ici, et ils la pompent vers certaines maisons.

— Pourquoi ?

— Pour se baigner dedans, chef.

— Hrumph. » Pur-Porc n'aimait pas cette idée. Un grand nombre de jeunes rats adoraient prendre des bains.

Noir-mat se tourna vers la brigade. « Le chef veut qu'on enterre ce poison, qu'on pisse dessus et qu'on laisse une marque tout de suite ! »

Pur-Porc entendit un bruit métallique près de lui. Il se tourna et vit que Noir-mat avait tiré de son harnachement d'outils une longue tige de métal. « C'est quoi, ce *krckrck* de truc ? » fit-il.

Dans un sifflement, Noir-mat fouetta l'air avec l'objet. « J'ai demandé au gamin à l'air bête de me la fabriquer », répondit-il.

Pur-Porc comprit alors de quoi il s'agissait. « C'est une épée, dit-il. Tu as trouvé l'idée dans *L'Aventure de monsieur Lapinou* ?

— Exact.

— Je n'ai jamais cru à ce machin-là, grommela Pur-Porc.

— Mais une lance c'est une lance, dit Noir-mat avec calme. Je crois qu'on est proches des autres rats. Ce serait une bonne idée que la plupart d'entre nous restent ici… chef. » Pur-Porc eut l'impression qu'on lui donnait encore des ordres, mais Noir-mat restait poli. « Je suggère que quelques-uns d'entre nous aillent flairer en éclaireurs, poursuivit le dépiégeur. Sardines serait utile, et je vais y aller, bien entendu…

— Moi aussi », fit Pur-Porc.

Il jeta un regard mauvais à Noir-mat qui acquiesça : « Évidemment. »

Chapitre 7

Et à cause de la ruse d'Olly le serpent qui avait changé le panneau de sens, monsieur Lapinou ignorait qu'il avait perdu son chemin. Il n'allait pas au goûter d'Hazard l'hermine. Il se dirigeait tout droit vers le Bois noir.

L'Aventure de monsieur Lapinou.

M alicia observait la trappe comme si elle voulait la noter sur dix.

« Bien cachée, dit-elle. Pas étonnant qu'on ne l'ait pas vue.

— Je n'ai pas eu très mal, lança Keith depuis l'obscurité en dessous.

— Bien, fit Malicia sans interrompre son examen de la trappe. Tu es tombé profond ?

— C'est une espèce de cave. Je vais bien parce que je suis tombé sur des sacs.

— D'accord, d'accord, on ne va pas s'éterniser là-dessus, ça ne serait pas une aventure sans quelques menus aléas, dit la fille. Tiens ! le haut d'une échelle. Pourquoi tu ne l'as pas prise ?

— Je n'ai pas pu, vu que je dégringolais, lança la voix de Keith.

— Je te descends ? proposa Malicia à Maurice.

— Tu veux que je t'arrache les yeux ? » répliqua Maurice.

Le front de Malicia se plissa. Elle avait toujours l'air contrariée quand elle ne comprenait pas quelque chose. « C'est de l'ironie, ça ? demanda-t-elle.

— Une suggestion, répondit Maurice. Je ne me laisse pas prendre par des étrangers. Tu descends. Je te suis.

— Mais tu n'as pas les pattes qu'il faut pour une échelle !

— Tu veux que je te parle des tiennes ? »

Malicia descendit dans le noir. Un bruit métallique, puis l'embrasement d'une allumette. « C'est plein de sacs ! dit-elle.

— Je sais, fit la voix de Keith. J'ai atterri dessus. Je te l'ai dit.

— C'est du blé ! Et… il y a des chapelets et des chapelets de saucisses ! De la viande fumée ! Des cageots de légumes ! Il y a plein à manger ! Aargh ! Dégage de mes cheveux ! Ouste ! Le chat m'a sauté sur la tête ! »

Maurice bondit sur un sac.

« Hah ! fit Malicia en se frottant le crâne. On nous a raconté que les rats avaient tout pris. Je comprends maintenant. Les chasseurs de rats se faufilent partout, ils connaissent tous les conduits, toutes les caves… et quand je pense que ce sont nos impôts qui payent ces voleurs ! »

Maurice fit du regard le tour de la cave à la clarté de la lanterne que tenait Malicia. Il y avait effectivement beaucoup de vivres. Des filets suspendus au plafond débordaient effectivement de gros choux blancs bien lourds. Les saucisses déjà mentionnées reliaient effectivement en boucles chacune des poutres. Le local regorgeait effectivement de bocaux, de tonneaux et de sacs à n'en plus finir. Et tout ça l'inquiétait effectivement.

« Alors voilà, dit Malicia. Quelle cachette ! Allons directement au guet municipal signaler ce qu'on a découvert, on aura tous droit à un goûter de roi, peut-être même à une médaille, et après…

— Je me méfie, la coupa Maurice.

— Pourquoi ?

— Parce que je suis méfiant de nature ! Je me méfierais de tes chasseurs de rats s'ils m'assuraient que le ciel est bleu. Qu'est-ce qu'ils ont fait ? Ils ont piqué les vivres en disant : "C'est les rats, parole" ? Et tout le monde les a crus ?

— Non, crétin. On a trouvé des os rongés, des paniers d'œufs vides, des choses comme ça. Et des crottes de rat partout !

— Je suppose qu'on a pu gratter les os, et les chasseurs ont pu récupérer des pelletées de crottes de rat… concéda Maurice.

— Et ils tuent tous les vrais rats, comme ça ils y gagnent encore ! dit Malicia d'un air triomphant. Très malin !

— Ouais, et c'est un peu curieux, parce qu'on a vu tes chasseurs de rats et, franchement, s'il pleuvait des boulettes

de viande, ils n'arriveraient même pas à trouver une fourchette.

— J'ai réfléchi à quelque chose, intervint Keith qui fredonnait tout seul.

— Ben, je suis ravie que quelqu'un ait réfléchi, com-
menta Malicia.

— C'est au sujet du treillage, reprit Keith. Il y avait du
treillis métallique dans la cabane.

— C'est important ?

— Pourquoi des chasseurs de rats ont-ils besoin de
treillis métallique ?

— Comment je saurais, moi ? Pour des cages peut-être ?
Qu'est-ce que ça peut faire ?

— Pourquoi des chasseurs mettraient-ils des rats en
cage ? Les rats crevés ne s'échappent pas, si ? »

Un silence se fit. Maurice voyait que la réflexion de
Keith embarrassait Malicia. C'était une complication dont
elle se serait bien passée. Ça fichait son histoire par terre.

« J'ai peut-être l'air bête, ajouta Keith, mais je ne le suis
pas. J'ai le temps de réfléchir parce que je ne passe pas mon
temps à parler. Je regarde autour de moi. J'écoute. J'essaye
d'apprendre. Je...

— Je ne parle pas tout le temps ! »

Maurice les laissa se chamailler et s'éloigna d'un air
digne dans un angle de la cave. Ou des caves. Elles paraissaient s'étendre très loin. Il vit quelque chose filer par terre
comme l'éclair dans l'obscurité et bondit sans même réfléchir. Se souvenant que son dernier repas de souris remontait à longtemps, son ventre s'était relié directement à ses
pattes. « D'accord, dit-il tandis que sa prise se tortillait
entre ses griffes, parle, sinon... »

Un petit bâton le frappa sèchement. « Ça va pas ? lança Sardines en se débattant pour se relever.

— Bas bevoin de daber auffi fort ! marmonna Maurice en essayant de lécher son museau qui lui cuisait.

— Je porte un *rklklk* de chapeau, vu ? cracha Sardines. Ça te gênerait de faire un peu gaffe ?

— Dague-or, dague-or, barbon… Qu'est-ce que tu fiches ici ? »

Sardines s'épousseta. « Je te cherche, toi ou le gamin à l'air bête, dit-il. C'est Pur-Porc qui m'envoie. On est maintenant dans le pétrin ! Tu ne croiras pas ce qu'on a trouvé !

— Il me veut, moi ? fit Maurice. Je croyais qu'il ne m'aimait pas !

— Ben, d'après lui, c'est mauvais et maléfique et tu sauras quoi faire, patron, dit Sardines en ramassant son chapeau. Regarde-moi ça ! Ta griffe est carrément passée au travers !

— Mais je t'ai demandé si tu parlais, non ?

— Oui, mais…

— Je demande toujours !

— Je sais, alors…

— Je tiens à demander et je suis inflexible là-dessus, tu sais !

— Oui, oui, c'est très clair, je te crois. Je me plaignais seulement pour le chapeau !

— Je détesterais qu'on s'imagine que je ne demande pas, insista Maurice.

— On ne va pas y passer la nuit. Où est le gamin ?

— Là-bas derrière, il discute avec la fille, répondit Maurice d'un air boudeur.

— Quoi, la folle ?

— C'est ça.

— Tu ferais bien d'aller les chercher. On a affaire au mal, et du sérieux. Il y a une porte à l'autre bout de ces caves. Je suis étonné que tu ne sentes rien d'ici !

— J'aimerais bien faire comprendre à tout le monde que j'ai demandé, c'est tout…

— Patron, fit Sardines, c'est du sérieux ! »

Pêches et Pistou attendaient le groupe d'exploration. Ils étaient avec Toxie, un autre jeune rat qui lisait bien et tenait vaguement lieu d'assistant. Pêches avait aussi apporté *L'Aventure de monsieur Lapinou*.

« Ils sont partis depuis longtemps, dit Toxie.

— Noir-mat vérifie tout pas à pas, répliqua Pêches.

— Il y a quelque chose qui cloche », dit Pistou. Il fronça le museau.

Un rat dévala en flèche le tunnel et les poussa frénétiquement pour passer.

Pistou flaira, le museau en l'air. « La peur », dit-il.

Trois autres rats passèrent à toute vitesse et le renversèrent.

« Qu'est-ce qui leur arrive ? » demanda Pêches tandis qu'un autre rat la faisait tournoyer sur place dans un effort pour s'ouvrir un chemin.

Il poussa un couinement dans sa direction et détala.

« C'était Supérieure, s'étonna-t-elle. Pourquoi elle n'a rien dit ?

— Encore… la peur, fit Pistou. Ils sont… effrayés. Terrifiés… »

Toxie voulut arrêter le rat suivant. L'autre le mordit et poursuivit sa course en pépiant.

« Il faut battre en retraite, dit Pêches d'un ton pressant. Qu'est-ce qu'ils ont trouvé là-bas ? Peut-être un furet !

— Pas possible ! dit Toxie. Pur-Porc a déjà tué un furet ! »

Trois autres rats passèrent en trombe en traînant la terreur dans leur sillage. L'un d'eux glapit vers Pêches, bredouilla follement à l'intention de Pistou et poursuivit sa course.

« Ils… ils ne savent plus parler… chuchota Pistou.

— Quelque chose d'horrible a dû leur flanquer la trouille ! dit Pêches en raflant ses notes.

— Ils n'ont jamais eu la trouille à ce point-là ! fit Toxie. Vous vous souvenez quand un chien nous a trouvés ? On avait tous la frousse, mais on a parlé, il est tombé dans le piège et Pur-Porc l'a raccompagné tout geignard… »

Pêches vit avec stupéfaction que Pistou pleurait. « Ils ne savent plus parler. »

Une demi-douzaine d'autres rats passèrent en force en poussant des cris perçants. Pêches tenta d'en arrêter un, mais il couina vers elle et l'esquiva.

« C'était Quatreportions ! dit-elle en se tournant vers Toxie. Je lui ai parlé il n'y a pas plus d'une heure ! Elle… Toxie ? »

Les poils de Toxie se hérissaient. Il avait les yeux dans le vague. Sa gueule ouverte découvrait ses dents. Il regarda fixement Pêches, ou carrément à travers elle, puis pivota et détala.

Elle se retourna pour étreindre Pistou de ses pattes tandis que la peur les submergeait.

Il y avait des rats. D'un mur à l'autre, du sol au plafond, des rats partout. Les cages en étaient bondées; ils s'accrochaient au treillis de devant et à celui du dessus. Le grillage se tendait sous le poids. Des formes luisantes bouillonnaient et dégringolaient, des pattes et des museaux débordaient par les trous. Des couinements, des bruissements et des criaillements emplissaient l'espace, et la puanteur était épouvantable.

Ce qui restait du peloton d'exploration de Pur-Porc s'était regroupé au milieu de la salle. La plupart s'étaient maintenant enfuis. Si les odeurs avaient été des bruits, on aurait entendu des cris et des hurlements. Par milliers. Elles saturaient la longue salle dans une espèce d'étrange pression. Même Maurice la sentit dès que Keith eut enfoncé la porte. C'était comme une migraine hors de la tête qui s'efforçait d'entrer. Et qui cognait aux oreilles.

Maurice se tenait un peu en retrait. Pas besoin d'être très malin pour voir qu'il s'agissait d'une situation grave dont on risquait de devoir se sortir précipitamment à tout moment.

Entre les jambes de Keith et de Malicia, il aperçut Noirmat, Pur-Porc et quelques autres Changés. Au milieu du local, ils regardaient fixement les cages qui les surplombaient.

Il fut étonné de constater que même Pur-Porc tremblait. Mais de rage.

« Sors-les de là! cria-t-il à Keith. Sors-les tous de là! Sors-les tout de suite!

— Un autre rat qui parle? fit Malicia.

— Sortez-les ! hurla Pur-Porc.

— Toutes ces cages immondes… murmura Malicia en écarquillant les yeux.

— Je l'avais bien dit pour le treillis métallique, constata Keith. Regarde, on voit où ç'a été réparé… ils ont rongé le fil de fer pour s'échapper !

— J'ai dit de les sortir ! s'époumona Pur-Porc. Sortez-les sinon je vous tue ! Le mal ! Le mal ! Le mal !

— Mais ce ne sont que des rats… » fit Malicia.

Pur-Porc bondit et atterrit sur la robe de la fille. Il grimpa à toute vitesse vers son cou. Elle se pétrifia. « Il y a des rats qui se mangent entre eux là-dedans ! siffla-t-il. Je vais te ronger, tu es le mal… »

La main de Keith le saisit fermement à la taille et le détacha du cou de Malicia. Poussant des cris stridents, le poil hérissé, Pur-Porc planta ses dents dans le doigt de Keith.

Malicia sursauta. Même Maurice grimaça.

Pur-Porc rejeta la tête en arrière, le museau dégoulinant de sang, et cligna les yeux d'horreur.

Des larmes montèrent aux yeux de Keith. Très délicatement, il posa le rat par terre. « C'est l'odeur, dit-il doucement. Ça les rend malades.

— Tu… tu as dit qu'ils étaient apprivoisés, je croyais ! » fit Malicia, enfin capable de parler. Elle ramassa un morceau de bois en appui contre les cages.

Keith le lui fit sauter de la main. « Ne t'avise jamais de nous menacer !

— Il t'a attaqué !

— Regarde autour de toi ! On n'est pas dans une histoire ! C'est la réalité ! Tu comprends ? La peur leur fait perdre la boule !

— Comment oses-tu me parler comme ça ? s'écria Malicia.

— *Rrkrkrk !*

— Tu es des nôtres, hein ? C'était un juron rat, non ? Tu jures même en rat, petit raton ? »

Comme des chats, se disait Maurice. Face à face à se hurler dessus. Ses oreilles pivotèrent en entendant un autre bruit au loin. Quelqu'un descendait l'échelle. Maurice savait par expérience que ce n'était pas le moment de parler à des humains. Ils répliquaient toujours par des « quoi ? », des « ce n'est pas vrai ! » ou des « où ça ? ».

« Filez d'ici tout de suite, dit-il en passant au galop près de Noir-mat. Ne jouez pas aux humains, courez ! »

Assez d'héroïsme comme ça, décida-t-il. Ça ne vaut rien de se laisser ralentir par les autres.

Une vieille canalisation débouchait dans le mur. Il patina sur le sol gluant quand il changea de direction, et il aperçut, oui, un trou de la taille d'un Maurice là où un barreau manquait, rongé par la rouille. Les griffes labourant le sol pour gagner de la vitesse, il fonça dans le trou juste au moment où les chasseurs de rats entraient dans le local aux cages.

Puis, en sécurité dans l'obscurité, il se retourna et jeta un coup d'œil.

D'abord une vérification. Maurice était-il sain et sauf ? Toutes les pattes répondaient à l'appel ? La queue ? Oui. Parfait.

Il voyait Noir-mat tirailler Pur-Porc qui paraissait figé sur place tandis que les autres détalaient vers une deuxième canalisation dans le mur d'en face. Ils se déplaçaient d'une course incertaine. Voilà ce qui arrive quand on se laisse aller, se dit Maurice. Ils se croyaient devenus savants, mais au fond de lui un rat reste un rat.

Moi, en revanche, je suis différent. Mon cerveau fonctionne à la perfection en toutes occasions. Toujours en alerte. Prêt à renifler des derrières.

Les rats en cage faisaient un raffut de tous les diables. Keith et la conteuse d'histoires regardaient d'un air ahuri les chasseurs. Qui paraissaient tout aussi ahuris.

Par terre, Noir-mat renonça à faire bouger Pur-Porc. Il tira son épée, leva la tête vers les humains, hésita puis se rua vers la canalisation.

Oui, qu'ils se débrouillent. Les humains entre eux, se dit Maurice. Ils ont de gros cerveaux, ils parlent, ça ne devrait pas leur présenter de difficultés.

Hah ! Raconte-leur une histoire, la conteuse !

Le premier chasseur observait Malicia et Keith. « Qu'est-ce que vous fichez ici, mademoiselle ? demanda-t-il d'une voix grinçante de méfiance.

— On joue au papa et à la maman ? lança le second d'un ton rigolard.

— Vous vous êtes introduits dans notre cabane, reprit le premier. Par effraction, comme on dit !

— Vous avez volé, oui, volé des vivres et vous avez accusé les rats ! cracha Malicia. Et pourquoi vous gardez ici tous ces rats en cage ? Et les ferrets, hein ? Surpris, hein ? Vous vous figuriez que personne ne les remarquerait, hein ?

— Les ferrets ? fit le premier chasseur dont le front se plissa.

— Les petits morceaux de fer au bout des lacets de chaussure », marmonna Keith.

Le premier chasseur pivota d'un bloc. « Pauvre crétin, Bill. Je te l'ai bien dit qu'on en avait assez de vraies ! Je t'ai pourtant prévenu que quelqu'un le remarquerait ! Je t'ai pas prévenu que quelqu'un le remarquerait ? Ben, quelqu'un a remarqué, voilà !

— Oui, ne croyez pas que vous allez vous en tirer comme ça ! » relança Malicia. Ses yeux étincelaient. « Je sais que vous n'êtes que les bandits comiques. Un gros, un maigre… c'est évident ! Alors qui est le grand patron ? »

Les yeux du premier chasseur de rats se voilèrent légèrement, comme il arrivait souvent aux interlocuteurs de Malicia. Il agita vers elle un gros doigt. « Tu sais ce que ton père vient de s'en aller faire ? lança-t-il.

— Hah ! Une réplique de bandit comique ! laissa tomber Malicia d'une voix triomphante. Continuez !

— Il s'en est allé demander qu'on envoie le joueur de flûte ! dit le second chasseur. Il coûte une fortune ! Trois cents piastres par village, et, si on ne paye pas, il devient salement méchant ! »

Oh là là, se dit Maurice. Quelqu'un s'en est allé demander qu'on envoie le vrai… Trois cents piastres. Trois cents piastres ? Et nous on n'en coûtait que trente !

« C'est toi, hein, fit le premier chasseur en agitant le doigt vers Keith. Le gamin à l'air bête ! Tu t'amènes et tout d'un coup on se retrouve avec une tripotée de nouveaux rats ! T'as un air qui me plaît pas. Toi et ton drôle de matou ! Si je revois ton drôle de matou, j'en fais un chapelet. »

Dans les ténèbres de son conduit, Maurice eut un mouvement de recul.

« Un chat pelé, hur, hur, hur », fit le second chasseur. Il avait sûrement étudié pour obtenir un rire de bandit pareil, se dit Maurice.

« Et on a pas de patron, ajouta le premier chasseur.

— Ouais, on est nos propres patrons », renchérit le second.

Et alors l'histoire se détraqua.

« Et toi, ma petite, dit le premier chasseur en se tournant vers Malicia, t'es un brin trop insolente. » Il lui expédia un coup de poing qui la souleva de terre et l'envoya percuter les cages des rats. Les rongeurs devinrent fous et les cages bouillonnèrent d'une activité frénétique tandis que la jeune fille s'affaissait sur elle-même.

Le chasseur se tourna ensuite vers Keith. « Tu veux tenter quelque chose, petit ? dit-il. Tu veux tenter quelque chose ? C'est une fille, alors je suis resté doux et gentil, mais toi, je vais te fourrer dans une des cages...

— Ouais, et ils ont rien eu à manger aujourd'hui ! » fit le second chasseur.

Vas-y, petit ! songea Maurice. Fais quelque chose ! Mais Keith, les bras ballants, regardait fixement l'homme.

Le premier chasseur le toisa d'un œil méprisant. « Qu'est-ce que t'as là, mon gars ? Une flûte ? Donne-moi ça ! » Il arracha l'instrument de la ceinture de Keith et envoya le gamin par terre. « Un flûtiau ! Tu te prends pour un joueur de flûte, hein ? » Il brisa sèchement la flûte en deux et balança les morceaux dans les cages. « T'sais, on raconte qu'à Porcsalenz le joueur de flûte a emmené tous les gamins hors de la ville. Une idée géniale ! »

Keith redressa la tête. Ses yeux s'étrécirent. Il se remit debout.

Voilà, se dit Maurice. Il va bondir avec une force surhumaine parce qu'il est dans une colère noire, et eux vont regretter qu'il soit né…

Keith bondit avec une force humaine ordinaire, porta un direct au premier chasseur et fut brutalement réexpédié au tapis d'un coup à assommer un bœuf.

D'accord, d'accord, il s'est fait étendre, se dit Maurice tandis que Keith tâchait de reprendre son souffle, mais il va se relever.

Un cri perçant fusa. Aha ! se dit Maurice.

Mais le cri ne venait pas de Keith qui avait encore la respiration sifflante. Une forme grise s'était lancée depuis le sommet des cages de rats vers la figure du chasseur. Elle atterrit dents en avant et du sang jaillit du nez de l'homme.

Aha ! se dit encore Maurice, Pur-Porc à la rescousse ! Quoi ? *Mrillp !* Voilà que je me mets à penser comme la fille ! Je continue de nous croire dans une histoire !

Le chasseur empoigna le rat et le tendit à bout de bras par la queue. Pur-Porc se tortillait et se contorsionnait en couinant de rage. L'homme se tamponna le nez de sa main libre et observa le rat qui se débattait.

« Drôlement hargneux, fit le second chasseur. Comment il est sorti ?

— Pas un des nôtres, répondit le premier. C'est un rouge.

— Un rouge ? Qu'est-ce qu'il a de rouge ?

— Un rat rouge, c'est une espèce de rat gris, tu le saurais si t'étais un membre expérimenté de la Guilde comme moi. Ils sont pas du coin. On les trouve dans les plaines. Marrant d'en voir un ici. Très marrant. Te filent entre les pattes, ces sales bestiaux. Mais un drôle de cran.

« — T'as le nez qui pisse le sang.

— Ouais. Je me suis plus souvent fait mordre par des rats que t'as mangé de repas chauds. Je les sens plus, dit le premier chasseur d'une voix donnant à penser que le rongeur tournoyant et braillant l'intéressait beaucoup plus que son collègue.

— J'ai eu que de la saucisse froide au dîner.

— Alors voilà. T'es un sacré petit combattant, c'est sûr. Un vrai petit diable, oh oui. Courageux comme tout.

— C'est gentil de ta part.

— Je parlais au rat, mon pote. » Le chasseur poussa Keith du bout de sa chaussure. « Attache-moi ces deux-là quelque part, d'accord ? On va les laisser dans une des autres caves pour l'instant. Une cave avec une porte solide. Et aussi une serrure solide. Sans trappes bien commodes. Et tu me refiles la clé.

— C'est la fille du maire, objecta le second chasseur. Les maires peuvent se fâcher tout rouges quand il s'agit de leurs filles.

— Alors il fera ce qu'on lui dira, d'accord ?

— Tu vas pas écraser ce rat un bon coup ?

— Quoi ? Un combattant comme ça ? Tu rigoles ? C'est des idées pareilles qui te feront rester assistant toute ta vie. J'en ai une bien meilleure. Combien y en a dans la cage spéciale ? »

Maurice vit le second chasseur aller examiner une des autres cages du mur d'en face.

« N'en reste plus que deux. Ils ont mangé les quatre autres, signala-t-il. Reste plus que la peau. Nettoyée net.

— Ah, comme ça ils doivent péter le feu des dieux. Ben, on va voir ce qu'ils vont lui faire, hein ? »

Maurice entendit une petite porte grillagée s'ouvrir et se refermer.

Pur-Porc voyait rouge. Il ne voyait rien d'autre. Il était en colère depuis des mois, tout au fond de lui, en colère contre les humains, en colère contre les poisons et les pièges, en colère contre les jeunes rats qui ne respectaient plus rien, en colère contre le monde qui changeait si vite, en colère contre lui-même qui vieillissait... Et maintenant les odeurs de la terreur, de la faim et de la violence opéraient la jonction avec la colère qui venait dans l'autre sens, elles se mêlaient et submergeaient Pur-Porc comme un grand fleuve enragé. Il était un rat acculé. Mais un rat acculé capable de réfléchir. Il avait toujours été un combattant vicieux, bien avant que lui vienne cette faculté de penser, et il restait encore très fort. Deux jeunes quiquis matamores et empotés, sans stratégie ni expérience du combat de cave primaire, sans jeu de pattes recherché ni réflexion, ne faisaient tout bonnement pas le poids. Une cabriole, un retournement et deux morsures suffirent...

Les rats encagés de l'autre côté du local reculèrent d'un bond du grillage. Même eux sentaient la fureur de Pur-Porc.

« En voilà un petit malin, dit le premier chasseur d'un ton admiratif quand tout fut terminé. J'ai un emploi pour toi, mon gars.

— Pas la fosse ? fit le second chasseur.

— Si, la fosse.

— Ce soir ?

— Ouais, parce qu'Arthur le Gandin a parié que son Jacko tuerait cent rats en moins d'un quart d'heure.

— Moi aussi, je veux bien le parier. Jacko est un bon terrier. Il s'en est fait quatre-vingt-dix y a quelques mois et Arthur le Gandin l'a préparé. Devrait y avoir du spectacle.

— Tu parierais que Jacko va y arriver, c'est ça ? dit le premier chasseur.

— Sûr. Comme tout le monde.

— Même avec notre petit ami, là, parmi les rats ? Plein de hargne, de rogne et de grogne ?

— Ben, euh…

— Ouais, d'accord. » Le premier chasseur eut un grand sourire.

« Laisser ces gamins ici, tout de même, ça ne me plaît pas de leur infliger ça. Pas à eux.

— "Eux autres", pas "eux". Fais bien les choses. Combien de fois je te l'ai dit ? Règle 27 de la Guilde : avoir l'air bête. Les gens se méfient des chasseurs de rats qui parlent trop correctement.

— Pardon.

— Cause mal, sois malin. C'est comme ça qu'il faut s'y prendre.

— Pardon, j'ai oublié.

— T'as tendance à faire l'inverse.

— Pardon. Eux autres. C'est cruel de ligoter les gens. C'est des gamins, après tout.

— Et alors ?

— Alors ce serait plus facile de les emmener, eux autres, par le tunnel jusqu'à la rivière, de leur taper sur la tête à eux autres et de les balancer eux autres à l'eau. Eux autres seront à des kilomètres d'ici en aval avant qu'on les repêche, et sans doute difficiles à reconnaître avant que les poissons en aient fini avec eux autres. »

Maurice entendit une pause dans la conversation.

Puis le premier chasseur déclara : « Je te savais pas aussi bon cœur, Bill.

— C'est vrai, et puis… pardon, et pis j'ai une idée pour nous débarrasser aussi de ce joueur de flûte… »

La voix suivante venait de partout. On aurait dit une rafale de vent et, au cœur de la rafale, la plainte de quelque chose au supplice. L'air ambiant en était saturé.

Non ! *Le joueur de flûte peut nous être utile !*

« Non, le joueur de flûte peut nous être utile, dit le premier chasseur de rats.

— Tout juste, reconnut le second. Je pensais la même chose. Euh… comment le joueur de flûte peut nous être utile ? »

Une fois de plus, Maurice entendit des mots dans sa tête, comme du vent soufflant dans une caverne.

N'est-ce pas ***évident ?***

« N'est-ce pas évident ? dit le premier chasseur.

— Ouais, évident, marmonna le second. C'est évidemment évident. Euh… »

Maurice regarda les chasseurs ouvrir plusieurs cages, empoigner des rats et les laisser tomber dans un sac. Il vit Pur-Porc déversé lui aussi dans un sac. Puis les chasseurs s'en allèrent en traînant les deux jeunes humains à leur suite, et Maurice se demanda : où, dans ce dédale de caves, trouver un trou à la taille d'un Maurice ?

Les chats ne voient pas dans le noir. Ils voient sous un très faible éclairage. Un tout petit clair de lune filtrait dans l'espace derrière lui. Il passait par un orifice minuscule dans le plafond, à peine assez gros pour une souris et sûrement pas pour un Maurice, même s'il parvenait à l'atteindre.

Il éclairait une autre cave. Visiblement, les chasseurs de rats s'en servaient aussi; quelques barils s'entassaient dans un angle ainsi que des tas de cages à rats délabrées. Maurice rôda ici et là, en quête d'une autre sortie. Il y avait des portes, mais munies de poignées, et même son cerveau puissant n'arrivait pas à percer le mystère des boutons de porte. Une autre grille de conduit s'ouvrait tout de même dans un mur. Il se glissa entre les barreaux.

Encore une cave. Avec encore des caisses et des sacs. Mais au moins il y faisait sec.

Une voix dans son dos lança : *T'es quoi, toi ?*

Il se retourna d'un bloc. Tout ce qu'il distingua, ce fut des caisses et des sacs. Les lieux empestaient le rat, retentissaient de bruissements continuels, parfois d'un faible couinement, mais c'était un petit coin de paradis à côté de l'enfer du local des cages.

La voix venait de derrière lui, non ? Il l'avait forcément entendue, pas vrai ? Parce qu'il avait l'impression de n'avoir qu'un souvenir de voix, comme si les mots lui étaient arrivés dans la tête sans se soucier de passer par ses oreilles déchiquetées. Le même phénomène s'était produit avec les chasseurs de rats. Ils avaient parlé comme s'ils avaient entendu une voix et cru qu'il s'agissait de leurs propres pensées. La voix ne s'était pas réellement fait entendre, si ?

Je ne te vois pas, fit le souvenir, *je ne sais pas ce que tu es.*

Ce n'était pas une bonne voix pour un souvenir. Elle n'était que sifflements et s'enfonçait dans le cerveau comme un couteau.

Approche-toi.

Les pattes de Maurice se convulsèrent. Ses muscles commencèrent à le propulser en avant. Il sortit ses griffes et se maîtrisa. Quelqu'un se cachait au milieu des caisses, se dit-il. Et ce ne serait sans doute pas une bonne idée de répondre. Un chat parlant avait de quoi troubler l'esprit. Il ne fallait pas espérer que tout le monde soit aussi cinglé que la conteuse d'histoires.

Plus près.

La voix avait l'air de l'attirer. Il allait devoir dire quelque chose.

« Je suis bien où je suis, merci », dit Maurice.

*Alors veux-tu partager notre **douleur** ?*

Le dernier mot faisait mal. Mais pas trop, ce qui était surprenant. La voix était sèche, puissante, dramatique, comme si son propriétaire tenait à voir Maurice se rouler par terre de souffrance. Mais il n'éprouva qu'un très bref mal de crâne.

Quand la voix revint, elle était extrêmement méfiante.

*Quelle espèce de créature es-tu ? Ton esprit est **anormal**.*

« Je préfère fabuleux, dit Maurice. Et qui tu es donc pour me poser des questions dans le noir ? »

Tout ce qu'il sentait, c'était une odeur de rat. Il perçut un très léger bruit un peu plus loin sur sa gauche et distingua vaguement la silhouette d'un très gros rat qui venait silencieusement vers lui.

Un autre bruit le fit se retourner. Un deuxième rat venait de cette direction aussi. Il le devina tout juste dans la pénombre.

Un bruissement devant lui suggéra qu'il y avait encore un rat de ce côté-là, qui s'approchait en catimini dans les ténèbres.

*Voilà mes yeux... **Quoi ? Chat ! Chat ! À mort !***

Chapitre 8

Monsieur Lapinou comprit qu'il était un lapin dodu dans le Bois noir et regretta d'être un lapin ou, du moins, un lapin dodu. Mais Rupert Ratichon était en chemin. Il ne se doutait pas de ce qui l'attendait.

L'Aventure de monsieur Lapinou.

Quand les trois rats bondirent, il était déjà trop tard. Il ne restait plus qu'un espace vide en forme de Maurice. De l'autre côté de la cave, le chat escaladait des caisses tant bien que mal.

Des couinements montèrent vers lui. Il sauta sur une autre caisse et vit une partie du mur où quelques-unes des briques décomposées étaient tombées. Il y fonça, pédala dans le vide tandis que d'autres briques se délogeaient sous ses pattes et se propulsa dans l'inconnu.

Une autre cave. Pleine d'eau, celle-là. À vrai dire, il ne s'agissait pas exactement d'eau. Plutôt de ce qu'elle devient quand des cages de rats s'y égouttent, que les caniveaux du dessus s'écoulent dedans, et qu'elle risque de stagner ainsi et de bouillonner doucement toute seule pendant une bonne année. La qualifier de vase serait une insulte envers tous les marécages parfaitement respectables du monde.

Maurice atterrit dedans. *Gloup.*

Il nagea furieusement en petit chat dans le liquide épais en évitant autant que possible de respirer et se hissa sur un tas de décombres de l'autre côté du local. Un chevron effondré, gluant de moisissure, s'élevait vers un plus grand enchevêtrement de bois calciné au plafond.

Il entendait toujours la voix abominable dans sa tête, mais assourdie. Elle essayait de lui donner des ordres. Donner des ordres à un chat ? C'était plus facile de clouer de la confiture sur un mur. Elle le prenait pour quoi ? Pour un chien ?

Il dégouttait de vase pestilentielle. Même ses oreilles en étaient pleines. Il voulut procéder à sa toilette mais s'arrêta. La toilette était une réaction de chat parfaitement normale. Mais lécher un truc pareil le tuerait sûrement...

Il perçut un mouvement dans le noir. Il distingua des formes de gros rats qui surgissaient en masse par le trou. Il entendit deux ou trois corps se jeter à l'eau. Certaines bêtes glissaient le long des murs.

Ah, fit la voix. *Tu les vois ? Regarde-les qui viennent te chercher, le **chat** !*

Maurice réfréna son envie de prendre ses pattes à son cou. Ce n'était pas le moment d'écouter son chat intérieur. Son chat intérieur l'avait sorti du local aux cages, seulement son chat intérieur était bête. Il le poussait à sauter sur ce qui était petit et à fuir tout le reste. Mais aucun chat ne s'attaquerait à une bande de rats de cette taille. Il se figea et s'efforça de suivre de l'œil la progression des rongeurs. Ils venaient droit sur lui.

Un moment… un moment…

La voix avait dit : *Tu les vois…*

Comment savait-elle ?

Maurice essaya de penser tout haut : Tu… lis… dans… mes… pensées ?

Rien ne se produisit.

Il eut une inspiration soudaine. Il ferma les yeux.

Ouvre-les ! L'ordre jaillit aussitôt, et ses paupières en tremblèrent.

Sûrement pas, songea Maurice. Tu n'entends pas mes pensées. Tu te sers uniquement de mes yeux et de mes oreilles. Tu ne fais que deviner ce que je pense.

Aucune réponse. Maurice n'attendit pas. Il bondit. La poutre inclinée se trouvait là où il se la rappelait. Il la gravit à coups de griffes et se cramponna. Au moins, tout ce qu'ils pouvaient faire, c'était le suivre. Avec un peu de chance, il arriverait à se servir de ses griffes…

Les rats se rapprochaient. À présent ils flairaient, ils le cherchaient en dessous, et il imagina des museaux frémissants dans l'obscurité.

L'un d'eux entreprit d'escalader la poutre sans cesser de flairer. Il devait se trouver au ras de la queue de Maurice quand il fit demi-tour et redescendit.

Le chat entendit les bestioles gagner le sommet des décombres. Flairer à coups de museau intrigué puis traverser la vase en sens inverse en pataugeant dans le noir.

Étonné, Maurice plissa son front encroûté de boue. Des rats qui ne sentaient pas un chat? Puis il comprit. Il ne sentait pas le chat… il empestait la vase, il ressemblait à de la vase dans une cave envahie de vase fétide.

Il garda une immobilité de pierre jusqu'à ce que ses oreilles crottées entendent des griffes regagner le trou dans le mur. Puis, sans ouvrir les yeux, il redescendit silencieusement jusqu'aux décombres et s'aperçut qu'ils s'étaient entassés contre une porte de bois pourri. Ce qui avait dû être une planche, aussi imbibée qu'une éponge, s'écroula dès qu'il la toucha.

Une impression d'espace lui souffla qu'il y avait une autre cave de l'autre côté. Elle empestait la pourriture et le bois calciné.

Est-ce que… la voix saurait le retrouver s'il ouvrait maintenant les yeux? Les caves ne se ressemblaient-elles pas toutes?

Celle-ci était peut-être pleine de rats elle aussi.

Ses yeux s'ouvrirent d'un coup. Il n'y avait pas de rats, mais une autre bouche d'égout rouillée donnait sur un tunnel juste assez grand pour qu'il y passe. Il distinguait une faible lumière.

C'est donc ça le monde des rats, se dit-il en s'efforçant de racler son pelage tout crotté. Obscur, vaseux, puant, peuplé de voix bizarres. Moi, je suis un chat. Le soleil et l'air pur, voilà mon style. Tout ce qu'il me faut maintenant, c'est un trou sur le monde extérieur, et je mets les bouts, ou du moins la boue.

Une voix dans sa tête – pas la voix mystérieuse mais plutôt une voix comme la sienne – lui fit remarquer : Mais que
deviennent le gamin à l'air bête et les autres ? Tu devrais les
aider ! Et Maurice songea : D'où tu sors, toi ? Tiens, va
donc toi-même les aider, moi je vais me trouver un coin au
chaud, qu'est-ce que tu en dis ?

La lumière au bout du tunnel s'intensifia. Ça ne ressemblait pas encore à la lumière du jour ni même au clair de
lune, mais tout valait mieux que ces ténèbres.

Du moins presque tout.

Il sortit la tête du conduit dans un autre beaucoup plus
large, fait de briques gluantes d'une curieuse saleté souterraine, et dans le cercle lumineux d'une bougie.

« C'est… Maurice ? demanda Pêches en observant la
boue qui tombait de son pelage crotté.

— Il sent meilleur que d'habitude, alors, dit Noir-mat en
se fendant d'un sourire que Maurice trouva peu amical.

— Oh, ha, ha », lâcha Maurice d'une petite voix. Il
n'était pas d'humeur à faire assaut de reparties.

« Ah, je savais que tu ne nous laisserais pas tomber,
mon vieil ami, dit Pistou. Je répète toujours qu'on peut
au moins compter sur Maurice. » Il poussa un profond
soupir.

« Oui, dit Noir-mat en lançant au chat un regard beaucoup plus entendu. Mais on peut compter sur lui pour
faire quoi ?

— Oh, fit Maurice. Euh… Bien. Je vous ai retrouvés,
déjà.

— Oui, reconnut Noir-mat d'un ton que Maurice jugea
méchant. Fabuleux, non ? Et j'imagine que tu as cherché
longtemps. Je t'ai vu filer pour nous chercher.

— Est-ce que tu peux nous aider ? demanda Pistou. Il nous faut un plan.

— Ah, d'accord, dit Maurice. Je propose qu'on monte dès que l'occasion se prés...

— Pour sauver Pur-Porc, le coupa Noir-mat. On n'abandonne pas les nôtres.

— Non ? fit Maurice.

— Non, confirma Noir-mat.

— Et puis il y a le gamin, dit Pêches. D'après Sardines, il est attaché avec la fille dans une des caves.

— Oh, ben, tu sais, les humains... fit Maurice en grimaçant. Les humains et les humains, tu sais, c'est un truc d'humains. À mon avis, il ne faut pas nous mêler de ça, on pourrait se méprendre, je connais les humains, ils se débrouilleront...

— Les humains, je m'en fiche comme d'une *shrlt* de furet ! cracha Noir-mat. Mais les chasseurs de rats ont emmené Pur-Porc dans un sac ! Tu as vu la salle, le chat ! Tu as vu les rats entassés dans les cages ! Ce sont les chasseurs qui volent les vivres ! Sardines parle de sacs et de sacs de vivres ! Et il y a autre chose...

— Une voix », fit Maurice avant de pouvoir se retenir.

Noir-mat releva la tête, les yeux grands ouverts. « Tu l'as entendue ? Je croyais qu'on était les seuls !

— Les chasseurs l'entendent aussi, dit Maurice. Seulement ils s'imaginent que ce sont leurs propres pensées.

— Elle a fait peur aux autres, marmonna Pistou. Ils... se sont arrêtés de penser... » Il avait l'air totalement abattu. Ouvert près de lui, souillé de saleté et de traces de pattes, gisait *L'Aventure de monsieur Lapinou*. « Même Toxie s'est enfui, reprit-il. Et il sait écrire ! Comment est-ce possible ?

— On dirait que certains ont été plus affectés que d'autres, dit Noir-mat d'une voix plus neutre. J'ai envoyé quelques-uns des plus raisonnables pour tenter de rassembler le reste, mais ça va prendre du temps. Ils couraient à l'aveuglette. Il faut qu'on récupère Pur-Porc. C'est lui le grand chef. On est des rats, après tout. Un clan. Les rats suivent le chef.

— Mais il est un peu vieux, c'est toi le plus solide et il n'est pas exactement le cerveau de la bande... commença Maurice.

— Ils l'ont emmené ! Ce sont des chasseurs de rats ! Il est des nôtres ! Tu vas nous aider, oui ou non ? »

Maurice crut entendre des grattements à l'autre bout de son conduit. Il ne pouvait pas se retourner pour vérifier et il se sentit soudain très vulnérable.

« Ouais, je vous aide, ouais, ouais, s'empressa-t-il de répondre.

— Hum. Tu le penses vraiment, Maurice ? demanda Pêches.

— Ouais, ouais, d'accord. » Maurice sortit en rampant de son conduit et se retourna pour regarder dedans. Aucun signe de rats.

« Sardines suit les chasseurs, dit Noir-mat, on va savoir où ils l'emmènent...

— J'ai la mauvaise impression de le savoir déjà, fit Maurice.

— Comment ça ? cracha Pêches.

— Je suis un chat, pas vrai ? Les chats traînent partout. On repère des trucs. Des tas de villages se fichent que les chats se baladent, comprenez, parce qu'on limite la prolifération de la verm... on empêche les... euh...

— D'accord, d'accord, on sait que tu ne manges pas ce qui parle, tu n'arrêtes pas de nous le seriner, dit Pêches. Allez, accouche !

— J'étais un jour dans un bâtiment, c'était une grange, en haut dans le fenil, là où on trouve toujours… euh… »

Pêches roula des yeux. « Oui, oui, continue !

— Enfin, bref, des hommes sont arrivés, et je ne pouvais pas m'en aller parce qu'ils avaient des tas de chiens et qu'ils avaient fermé les portes, et alors… euh… ils ont installé une espèce de grand mur rond en bois au milieu de la grange, puis certains qui avaient des boîtes contenant des rats les ont vidées dans l'arène et y ont aussi fait entrer des chiens. Des terriers, précisa Maurice en tâchant de ne pas regarder ses auditeurs.

— Les rats se sont battus contre les chiens ? demanda Noir-mat.

— Ben, j'imagine qu'ils auraient pu. Ils couraient surtout autour de la fosse. Ça s'appelle des courses aux rats. Ce sont les chasseurs qui les amènent, évidemment. Vivants.

— Courses aux rats… répéta Noir-mat. Comment se fait-il qu'on n'en a jamais entendu parler ? »

Maurice le regarda en battant des paupières. Pour des animaux intelligents, les rongeurs se montraient parfois étonnamment bêtes. « Pourquoi vous en auriez entendu parler ? répliqua-t-il.

— Sûrement qu'un des rats qui… ?

— Tu n'as pas l'air de comprendre. Les rats qui entrent dans la fosse n'en ressortent pas. Du moins en respirant encore. »

Un silence suivit.

« Ils ne peuvent pas sauter par-dessus ? demanda Pêches d'une petite voix.

— Trop haut, répondit Maurice.

— Pourquoi est-ce qu'ils ne se battent pas contre les chiens ? dit Noir-mat.

— Parce que ce sont des rats, Noir-mat. Des tas de rats. Qui puent la peur et la panique qu'ils se transmettent les uns aux autres. Tu sais bien comment ça se passe.

— Une fois j'ai mordu un chien au museau !

— D'accord, d'accord, fit Maurice d'une voix apaisante. Un rat tout seul peut réfléchir et être brave, d'accord. Mais une bande de rats, c'est une masse. Une bande de rats, c'est une grosse bête avec des tas de pattes mais sans cervelle.

— Ce n'est pas vrai ! s'indigna Pêches. Ensemble, on est forts !

— Quelle hauteur exactement ? demanda Noir-mat qui fixait la lumière de la bougie comme s'il y voyait des images.

— Quoi ? demandèrent en chœur Pêches et Maurice.

— Le mur... Quelle hauteur exactement ?

— Huh ? Je ne sais pas, moi ! Haut, quoi ! Les hommes s'accoudaient dessus ! Est-ce que ça compte ? C'est bien trop haut pour qu'un rat saute par-dessus, je le sais.

— Tout ce qu'on a fait, on l'a fait parce qu'on est soudés ensemble... insista Pêches.

— On va sauver Pur-Porc ensemble, alors, dit Noir-mat. On va... » Il se retourna brusquement en entendant un rat venir dans la canalisation, puis il plissa le museau. « C'est Sardines, annonça-t-il. Et... voyons, ça sent la femelle, jeune, nerveuse... Nutritionnelle ? »

La plus jeune recrue de la brigade de dépiégeage suivait Sardines. Elle était trempée et abattue.

« Tu ressembles à un rat noyé, mademoiselle, dit Noir-mat.

— Suis tombée dans une canalisation défoncée, chef, expliqua Nutritionnelle.

— Fait plaisir de te revoir, en tout cas. Qu'est-ce qui se passe, Sardines ? »

Le rat dansant exécuta quelques pas nerveux. « J'ai escaladé plus de canalisations et suivi plus de cordes à linge qu'il n'est raisonnable, répondit-il. Et ne me demandez rien sur ces *krrkk* de chats, patron, je voudrais tous les voir crever jusqu'au dernier – exception faite de Votre Honneur, 'videmment, ajouta-t-il en reluquant Maurice d'un œil inquiet.

— Et… ? fit Pêches.

— Ils sont allés dans une espèce d'écurie à la limite du village, reprit Sardines. Ça sent mauvais. Des tas de chiens dans le coin. Et aussi d'hommes.

— Fosse aux rats, laissa tomber Maurice. Je vous l'avais dit. Ils élèvent des rats pour la fosse !

— D'accord, conclut Noir-mat. On va sortir Pur-Porc de là. Sardines, montre-moi le chemin. On tâchera de récupérer une partie des nôtres en cours de route. Vous autres, vous devriez essayer de retrouver le gamin.

— Pourquoi c'est toi qui donnes des ordres ? lança Pêches.

— Parce que quelqu'un doit le faire, répondit Noir-mat. Pur-Porc est peut-être un brin galeux et ancré dans ses habitudes, mais c'est le chef, tout le monde le sent bien, et on a besoin de lui. Des questions ? Bien…

— Je peux venir, chef ? demanda Nutritionnelle.

— Elle m'aide à porter ma ficelle, patron », expliqua Sardines. La jeune rate et lui en avaient de pleins paquets.

« Tu as besoin de tout ça ? s'étonna Noir-mat.

— On ne refuse jamais un bout de ficelle, patron, répondit Sardines avec le plus grand sérieux. C'est incroyable tout ce que j'ai pu trouver…

— D'accord, tant qu'elle peut se rendre utile, le coupa Noir-mat. Vaudrait mieux qu'elle arrive à suivre. On y va ! »

Puis il ne resta plus que Pistou, Pêches et Maurice.

Pistou soupira. « Un rat tout seul peut être brave, mais une bande de rats n'est qu'une masse ? répéta-t-il. Tu vas bien, Maurice ?

— Non, je… Écoute, il y avait quelque chose là-bas, dit Maurice. Dans la cave. Je ne sais pas ce que c'est. C'est la voix qui entre dans les têtes !

— Pas de tout le monde, précisa Pêches. Elle ne t'a pas fait peur, hein ? Ni à nous. Ni à Noir-mat. Elle a mis Pur-Porc dans une rage folle. Pourquoi ? »

Maurice cligna des yeux. Il entendait encore la voix dans sa tête. Elle était très faible, et il ne s'agissait sûrement pas de ses pensées à lui. Elle disait : *Je vais trouver un moyen d'entrer, le **chat** !*

« Vous avez entendu ça ? fit-il.

— Moi, je n'ai rien entendu », dit Pêches.

Il faut peut-être se tenir tout près, songea Maurice. Peut-être, quand on s'est tenu tout près, qu'elle sait localiser les têtes.

Il n'avait jamais vu de rat aussi pitoyable que Pistou. Le petit rongeur, blotti à côté de la bougie, fixait sans le voir *Monsieur Lapinou*.

« J'aimerais que la situation soit plus brillante, dit-il enfin. Mais il se trouve qu'on n'est que… des rats. Dès que ça se gâte, on n'est que… des rats. »

Il n'était pas dans les habitudes de Maurice d'éprouver de la sympathie pour un autre que Maurice. Chez le chat, c'est un défaut majeur. Je dois être malade, se dit-il. Puis : « Si ça peut te consoler, je ne suis qu'un chat.

— Oh, mais non. Tu es gentil, et je sens au fond de toi une nature généreuse », affirma Pistou.

Maurice s'efforça de ne pas regarder Pêches. Oh là là, songea-t-il.

« Au moins, tu demandes aux gens avant de les manger », fit-elle.

Tu devrais le leur dire, soufflèrent les pensées de Maurice. Allez, dis-leur. Tu te sentiras mieux.

Maurice voulut ordonner à ses pensées de fermer le bec. C'était bien le moment d'avoir une conscience ! À quoi ça avançait un chat d'avoir une conscience ? Un chat avec une conscience, c'était un… un hamster, n'importe quoi…

« Hum, je comptais vous en parler », marmonna-t-il.

Allez, dis-leur, insista sa conscience flambant neuve. Déballe tout.

« Oui ? » fit Pêches.

Maurice se tortilla. « Ben, vous savez, je vérifie toujours ce que je mange depuis quelque temps…

— Oui, c'est tout à ton honneur », dit Pistou.

Maurice se sentait encore plus mal maintenant. « Ben, vous savez qu'on s'est toujours demandé comment j'ai pu changer alors que je n'ai jamais mangé de ces produits magiques sur le tas d'ordures…

— Oui, admit Pêches. Ça m'a toujours intriguée. »

Maurice remua, mal à l'aise. « Ben, vous savez... euh... Est-ce que vous avez connu un rat plutôt gros, une oreille en moins, un peu de pelage blanc d'un côté, courait pas très vite à cause d'une mauvaise patte ?

— On dirait Additifs, dit Pêches.

— Oh oui, dit Pistou. Il a disparu avant qu'on te connaisse, Maurice. Un bon rat. Avait quelques problèmes... d'élocution.

— Problèmes d'élocution, répéta Maurice d'un air sombre.

— Il bégayait, expliqua Pêches en posant sur le chat un long regard insistant et froid. Avait du mal à sortir ses mots.

— Il avait du mal, répéta encore Maurice d'une voix caverneuse à présent.

— Mais je suis sûr que tu ne l'as jamais vu, Maurice, dit Pistou. Il me manque. C'était un rat merveilleux une fois qu'on arrivait à le faire parler.

— Hum. Est-ce que tu l'as rencontré, Maurice ? » demanda Pêches dont le regard cloua le chat au mur.

La figure de Maurice se contorsionna. Il essaya plusieurs expressions une à une. Puis il se lança : « *D'accord ! Je l'ai mangé, vu ? En entier ! Sauf la queue, le truc vert tout mou et le sale morceau violet, personne ne sait ce que c'est ! Je n'étais qu'un chat ! Je n'avais pas encore appris à penser. Je ne savais pas ! J'avais faim ! Les chats mangent les rats, c'est comme ça ! Ce n'est pas ma faute ! Il avait mangé les produits magiques et moi je l'ai mangé à son tour, alors j'ai été changé aussi ! Vous savez quelle impression ça fait de voir le truc vert tout mou comme ça ? On ne se sent pas bien ! Des fois, par nuit noire, je crois l'entendre parler là, en bas ! Ça va ? Z'êtes contents ? Je ne savais pas que c'était quelqu'un ! Je ne savais pas que j'étais moi-même quelqu'un ! Je l'ai mangé ! Il avait avalé les machins du tas d'ordures et ensuite je l'ai mangé, c'est comme ça que j'ai été changé ! Je l'avoue ! Je l'ai mangé ! Ce n'est pas ma faaaute ! »*

Le silence tomba. Que rompit Pêches au bout d'un moment : « Oui, mais c'était il y a longtemps, pas vrai ?

— Quoi ? Tu veux savoir si j'ai mangé quelqu'un ces derniers temps ? Non !

— Tu regrettes ce que tu as fait ? demanda Pistou.

— Si je regrette ? Qu'est-ce que vous croyez ? Des fois, j'ai des cauchemars quand je rote, et il…

— Alors ça va sans doute, dit le petit rat.

— Ça va ? Comment est-ce que ça peut aller ? Et vous ne connaissez pas le pire ? Je suis un chat ! Les chats ne s'amusent pas à regretter ! Ni à culpabiliser ! On ne regrette jamais rien ! Est-ce que vous savez quelle impression ça fait de demander : "Salut, la bouffe, est-ce que tu parles ?" Un chat n'est pas censé se conduire comme ça !

— On n'agit pas non plus comme les rats sont censés se conduire », répliqua Pistou. Puis sa figure s'assombrit à nouveau. « Jusqu'à maintenant, soupira-t-il.

— Tout le monde a eu peur, dit Pêches. La peur est contagieuse.

— J'espérais qu'on s'en sortirait mieux que des rats. Je croyais qu'on serait davantage que des bêtes qui couinent et pissent, quoi qu'en dise Pur-Porc. Et maintenant… où ils sont, tous ?

— Tu veux que je te lise un peu de *Monsieur Lapinou* ? demanda Pêches d'une voix inquiète. Tu sais que ça te réconforte toujours quand tu… vois tout en noir. »

Pistou hocha la tête.

Pêches attira vers elle l'immense livre et se mit à lire. "Un jour, monsieur Lapinou et son ami Rupert Ratichon le rat passèrent voir le vieux Bourricot qui habitait près de la rivière…"

— Lis le passage où ils parlent aux humains », dit Pistou.

Pêches obéit et tourna une page. « "Bonjour, Rupert Ratichon, dit Fred le fermier. Belle journée, c'est sûr…" »

C'est dingue, songea Maurice tandis qu'il écoutait une histoire de bois sauvages et de cours d'eau frais gazouillants qu'un rat lisait à un autre rat, assis à côté d'un égout où courait un liquide qui n'était sûrement pas frais. Tout sauf frais. Mais, pour être honnête, il gazouillait un peu, du moins il dégageait du gaz.

Tout part à l'égout, et ils gardent en tête la petite image d'une vie qui pourrait être belle…

Regarde ces petits yeux roses tout tristes, dirent les pensées de Maurice sous son crâne. Regarde ces petits museaux tremblotants tout ridés. Si tu te sauvais en les abandonnant ici, comment pourrais-tu regarder ensuite ces petits museaux tremblotants dans les yeux ?

« Je ne serais pas obligé, lâcha Maurice tout haut. Tout est là !

— Quoi ? fit Pêches en levant les yeux du livre.

— Oh, rien… » Maurice marqua un temps. Il n'y avait rien à faire. C'était contraire à tout ce qu'incarnait un chat. Voilà où ça mène de penser, se dit-il. Tout droit vers les ennuis. Même quand on sait les autres capables de penser tout seuls, on se met aussi à penser pour eux. Il gémit.

« On ferait mieux de voir ce qui est arrivé au gamin », dit-il.

Il faisait complètement noir dans la cave. En dehors d'une goutte d'eau qui tombait de temps en temps, il n'y avait que des voix.

« Bon, fit celle de Malicia, on reprend à zéro, d'accord ? Tu n'as pas de couteau d'aucune sorte ?

— C'est ça, répondit Keith.

— Ni d'allumettes qui pourraient brûler la corde ?

— Non.

— Ni d'arête tranchante près de toi sur laquelle tu pourrais frotter tes liens ?

— Non.

— Et tu ne peux pas passer tes jambes entre tes bras pour avoir les mains devant toi ?

— Non.

— Et tu n'as pas de pouvoirs magiques ?

— Non.

— Tu es sûr ? Dès que je t'ai vu, je me suis dit que tu avais un pouvoir étonnant qui se manifesterait sûrement quand tu te trouverais dans une situation désespérée. Je me suis dit, en te voyant aussi bon à rien, que tu portais forcément un déguisement.

— Oui. J'en suis sûr. Écoute, je suis tout à fait ordinaire. Oui, d'accord, on m'a abandonné quand j'étais bébé. Je ne sais pas pourquoi. Ces choses-là arrivent. Il paraît que c'est fréquent. Ça ne fait pas de moi quelqu'un de particulier. Et je n'ai pas de marques secrètes, comme si j'étais une espèce de mouton, je ne crois pas être un héros déguisé et, à ma connaissance, je n'ai pas de talent fabuleux. D'accord, je me défends pour jouer de quelques instruments de musique. Je travaille beaucoup. Mais je ne suis pas de l'étoffe des héros. Je me débrouille et je me dépatouille. Je fais de mon mieux. Compris ?

— Oh.

— Tu aurais dû trouver quelqu'un d'autre.

— En résumé, tu ne peux être d'aucune aide ?

— Non. »

Un silence s'installa. Puis Malicia reprit : « Tu sais, par bien des côtés, je ne crois pas que cette aventure a été bien agencée.

— Oh, vraiment ? fit Keith.

— Ce n'est pas comme ça qu'on devrait être attachés.

— Malicia, est-ce que tu comprends ? Ce n'est pas une histoire, insista Keith aussi patiemment qu'il put. C'est ce que j'essaye de te dire. La vie réelle n'est pas une histoire. Il n'existe pas de… d'espèce de magie qui te garde en vie, qui pousse les bandits à regarder ailleurs, à ne pas te cogner trop fort, à t'attacher près d'un couteau et à ne pas te tuer. Tu comprends ? »

Un autre silence enténébré suivit.

« Ma mémé et ma grand-tata étaient des conteuses très célèbres, tu sais, finit par déclarer Malicia d'une petite voix tendue. Agoniza et Éviscera Crime.

— Tu l'as déjà dit.

— Ma mère aurait pu être une bonne conteuse aussi, mais mon père n'aime pas les histoires. Voilà pourquoi j'ai changé mon nom en Crime dans un but professionnel.

— Vraiment…

— On me battait quand j'étais petite si je racontais des histoires, poursuivit Malicia.

— On te battait ?

— Bon, d'accord, on me donnait la fessée. Sur la jambe. Mais ça faisait drôlement mal. D'après mon père, on ne peut pas diriger une ville avec des histoires. Il faut être terre-à-terre, il dit.

— Oh.

— Rien ne t'intéresse donc en dehors de la musique ? Il a cassé ta flûte !

— J'imagine que je vais en acheter une autre. »

La voix calme de Keith exaspéra Malicia. « Ben, je vais te dire une chose, lança-t-elle. Si tu ne fais pas de ta vie une histoire, tu finis par appartenir à l'histoire de quelqu'un d'autre.

— Et si ton histoire ne marche pas ?

— Tu la changes jusqu'à trouver la bonne.

— Ça m'a l'air idiot.

— Huh, regarde-toi. Tu n'es qu'un figurant dans le décor d'un autre. Tu laisses un chat prendre toutes les décisions.

— C'est parce que Maurice est… »

Une voix le coupa. « Est-ce que vous voulez qu'on s'en aille jusqu'à ce que vous ayez fini vos histoires d'humains ?

— Maurice ? fit Keith. Où tu es ?

— Je suis dans une canalisation et, crois-moi, la nuit n'a pas été bonne. Tu sais combien d'anciennes caves il y a dans le coin ? dit la voix de Maurice dans l'obscurité. Pêches amène une bougie. Il fait trop noir même pour moi, je ne te vois pas.

— Qui c'est, Pêches ? demanda Malicia.

— Une autre Changée. Un rat pensant, répondit Keith.

— Comme Pilchards ?

— Comme Sardines, oui.

— Aha, souffla Malicia. Tu vois ? Une histoire. Je suis contente de moi, je jubile. Les rats courageux sauvent nos héros, sans doute en rongeant les cordes.

— Oh, nous voilà revenus dans ton histoire, hein ? Et qu'est-ce que je suis, moi, dans ton histoire ?

— Je sais que tu n'es pas là pour la couleur sentimentale. Et tu n'es pas assez drôle pour la touche comique. Je ne sais pas. Sans doute juste… quelqu'un. Tu sais, comme "l'homme de la rue", un truc comme ça. » De légers bruits retentirent dans l'obscurité. « Qu'est-ce qu'ils font maintenant ? souffla Malicia.

— Ils essayent d'allumer la bougie, sans doute.

— Les rats jouent avec le feu ? s'étonna tout bas Malicia.

— Ils ne jouent pas. Pour Pistou, l'ombre et la lumière sont très importantes. Ils ont toujours une bougie allumée quelque part dans leurs tunnels, où qu'ils…

— Pistou ? En voilà d'un nom !

— Chhhut ! Ils ont appris les mots sur de vieilles boîtes de conserve, de vieux panneaux et autres ! Ils ne savaient pas ce que ça voulait dire, ils les ont choisis parce qu'ils en aimaient la sonorité !

— Oui, mais… Pistou ? Avec un nom pareil, on a l'impression qu'il fait…

— C'est le sien. Évite de t'en moquer !

— Pardon, là », fit Malicia avec hauteur.

L'allumette s'embrasa. La flamme de la bougie grandit.

Malicia baissa les yeux sur les deux rats. Le premier était… ben, un petit rat, mais plus soigné que la plupart de ceux qu'elle avait déjà vus. Faut dire que la plupart de ceux qu'elle avait déjà vus étaient crevés, mais même les vivants étaient toujours… agités, nerveux, sans cesse en train de flairer, le museau au vent. Celui-là… se contentait d'observer. Il la fixait droit dans les yeux.

L'autre était blanc et encore plus petit. Il observait aussi Malicia, mais à la façon d'un myope. Il avait les yeux roses. Malicia ne s'était jamais intéressée aux sentiments d'autrui, estimant que les siens présentaient un intérêt autrement considérable, mais il émanait de ce rat une impression de tristesse et d'inquiétude.

Il traînait un petit livre, du moins ce qui était un petit livre pour un humain ; il faisait à peu près la moitié d'un rat. La couverture était colorée, mais Malicia ne put en distinguer le titre.

« Pêches et Pistou, les présenta Keith. Voici Malicia. Son père est le maire du village.

— Bonjour, fit Pistou.

— Le maire ? Ce n'est pas comme le gouvernement, ça ? dit Pêches. D'après Maurice, les gouvernements sont des criminels très dangereux qui volent l'argent de la population.

— Comment leur as-tu appris à parler ? demanda Malicia.

— Ils ont appris tout seuls, répondit Keith. Ce ne sont pas des animaux dressés, tu sais.

— Ben, mon père ne vole personne. Qui leur a dit que les gouvernements sont très… ?

— 'scusez-moi, 'scusez-moi, fit la voix pressante de Maurice depuis l'entrée de la canalisation. C'est ça, je suis en bas. Est-ce qu'on pourrait passer aux choses sérieuses ?

— On voudrait que vous rongiez nos liens, s'il vous plaît, dit Keith.

« — J'ai un bout de lame de couteau cassée, proposa Pêches. C'est pour aiguiser le crayon. Ça ne serait pas mieux ?

— Un couteau ? s'étonna Malicia. Un crayon ?

— J'ai bien dit qu'ils n'étaient pas des rats ordinaires », fit Keith.

Nutritionnelle devait courir pour suivre Noir-mat. Et Noir-mat courait parce qu'il le devait pour suivre Sardines. Quand il fallait traverser rapidement une localité, Sardines était champion du monde.

Ils récupéraient d'autres rats en route. Nutritionnelle ne pouvait s'empêcher de remarquer qu'il s'agissait surtout des plus jeunes, qui avaient fui sous le coup de la terreur mais n'étaient pas allés loin. Ils se rangèrent sans hésiter derrière Noir-mat, presque heureux d'agir avec un objectif.

Sardines dansait à l'avant. Il ne pouvait pas s'en empêcher. Et il aimait les tuyaux d'écoulement, les toits et les gouttières. On ne rencontrait pas de chiens là-haut, disait-il, et pas trop de chats.

Aucun chat n'aurait suivi Sardines. Les habitants de Bad Igoince avaient tendu des cordes à linge entre les vieilles maisons ; Sardines bondissait dessus, s'accrochait la tête en bas et se déplaçait aussi vite que sur une surface plane. Il grimpait les murs à la verticale, plongeait à travers le chaume, dansait les claquettes autour des cheminées fumantes et glissait le long des tuiles. Les pigeons jaillissaient de leurs perchoirs quand il passait en flèche, les autres rats en file derrière lui.

Des nuages défilèrent devant la lune.

Sardines atteignit le bord d'un toit, bondit et atterrit sur un mur juste en contrebas. Il cavala le long du sommet et disparut par l'interstice entre deux planches.

Nutritionnelle le suivit dans une espèce de fenil. Du foin s'entassait ici et là, mais la plus grande partie s'ouvrait sur le rez-de-chaussée en dessous, soutenue par plusieurs poutres massives qui traversaient tout le bâtiment. Une lumière vive montait d'en bas, on entendait le bourdonnement de voix humaines et – la rate frémit – des aboiements de chiens.

« C'est une grande écurie, patron, dit Sardines. La fosse est sous la poutre là-bas. Venez… »

Ils avancèrent sans bruit sur les lattes du vieux plancher et jetèrent un coup d'œil par-dessus le bord.

Loin en contrebas, ils virent un cercle de bois, comme un demi-tonneau géant.

Nutritionnelle s'aperçut qu'ils se trouvaient pile au-dessus de la fosse ; si elle tombait, là, elle atterrirait au beau milieu. Des hommes se pressaient autour. Des chiens, attachés le long des murs, s'aboyaient dessus et contre le reste de l'univers avec cette démence qui a l'air de proclamer « je peux continuer comme ça éternellement », attitude typique de la gent canine. Et d'un côté s'empilaient des caisses et des sacs.

Les sacs bougeaient.

« *Crtlk !* Comment on va trouver Pur-Porc dans tout ce *krrp* ? demanda Noir-mat dont les yeux luisaient à la lumière du rez-de-chaussée.

— Ben, connaissant le vieux Pur-Porc, patron, je crois qu'on saura quand il sera là, répondit Sardines.

— Est-ce que tu pourrais tomber dans la fosse au bout d'une ficelle ?

— Je suis prêt à tout, patron, répondit le loyal Sardines.

— Dans une fosse avec un chien dedans, chef ? intervint Nutritionnelle. Et la ficelle ne va pas te couper en deux, Sardines ?

— Ah, j'ai là quelque chose qui va nous aider, patron », dit Sardines. Il ôta son épais rouleau de ficelle et le mit de côté. Il avait un autre rouleau en dessous, d'un brun clair luisant. Il tira sur un bout de la matière qui revint en place sèchement avec un léger *ptoïïng*. « Des bandelettes de caoutchouc, dit-il. Je les ai piquées sur un bureau alors que je cherchais d'autres bouts de ficelle. Je m'en suis déjà servi, patron. Très pratique pour une chute de haut, patron. »

Noir-mat recula d'un pas sur le plancher. Il y avait là une vieille lampe à huile couchée sur le côté, le verre brisé, la bougie mangée depuis longtemps. « Bien, dit-il. Parce que j'ai une idée. Si tu peux descendre… »

Un rugissement monta du dessous. Les rats regardèrent encore par-dessus la poutre.

Le cercle des têtes s'était épaissi autour du bord de la fosse. Un homme parlait d'une voix forte. De temps en temps s'élevaient des acclamations. Les chapeaux hauts de forme des chasseurs de rats fendirent la foule. Vus du dessus, c'étaient des taches noires sinistres au milieu des autres couvre-chefs gris et bruns.

Un des chasseurs vida un sac dans l'arène, et les observateurs reconnurent les formes sombres de rats paniqués qui cavalaient pour trouver dans le cercle un coin où se cacher.

La foule s'écarta légèrement et un homme s'avança au bord de la fosse en tenant un terrier. D'autres cris fusèrent, des rires cascadèrent et on lâcha le chien parmi les rats.

Les Changés regardaient, les yeux écarquillés, le cercle de mort et les hommes qui poussaient des acclamations.

Au bout d'une minute, Nutritionnelle arracha son regard du spectacle. Quand elle se tourna, elle surprit l'expression de Noir-mat. Ce n'était peut-être pas seulement la lumière qui lui embrasait les orbites. Elle le vit qui inspectait l'écurie jusqu'aux grandes portes à l'autre bout. Une barre les condamnait. Puis sa tête pivota vers le foin et la paille entassés dans le fenil, ainsi que dans les râteliers et les mangeoires en dessous.

Noir-mat tira un bout de bois d'une de ses ceintures.

Nutritionnelle flaira le soufre dans le renflement rouge à l'extrémité.

Une allumette.

Noir-mat tourna la tête et vit qu'elle le regardait fixement. Il montra d'un signe du museau les tas de foin dans le fenil. « Mon plan pourrait échouer, dit-il. Dans ce cas, c'est toi qui te chargeras de l'autre.

— Moi, fit Nutritionnelle.

— Toi. Parce que je ne serai pas… là. » Il tendit l'allumette. « Tu sais quoi faire », ajouta-t-il en hochant la tête vers le râtelier de foin le plus proche.

Nutritionnelle déglutit. « Oui. Oui, je crois. Euh… quand ?

— Le moment venu. Tu le sauras, répondit Noir-mat qui se pencha encore vers le massacre en contrebas. D'une manière ou d'une autre, je veux qu'ils se souviennent de cette soirée, dit-il d'une voix calme. Ils se souviendront de

ce qu'ils auront fait. Et de ce qu'on aura fait. Tant qu'ils…
vivront. »

Pur-Porc était étendu dans son sac. Il sentait les autres
rats tout près, ainsi que les chiens et le sang. Surtout le
sang. Il entendait ses propres pensées, mais elles tenaient
de la stridulation d'insectes à côté de l'orage de ses sens.
Des bribes de souvenirs lui dansaient devant les yeux. Des
cages. La panique. Le rat blanc. Pur-Porc. C'était son
nom. Curieux, ça. Pas l'habitude d'avoir des noms. Seulement de sentir les autres rats. Ténèbres. Ténèbres en
dedans, derrière les yeux. Ça, c'était Pur-Porc. En dehors,
c'était tout le reste.

Pur-Porc. Moi. Chef.

La colère noire bouillait encore en lui, mais elle avait
désormais comme une forme, celle qu'une gorge donne à
une rivière en crue quand elle la rétrécit, la force à couler
plus vite, quand elle la dirige.

Il entendait maintenant des voix.

« … tu le glisses dedans, personne ne s'en apercevra…

— … d'accord, je vais d'abord le secouer un peu pour
l'enrager… »

On agita le sac. Pur-Porc ne se sentit pas plus enragé. Il
n'y avait pas la place pour plus de rage.

Le sac se balança tandis qu'on le transportait. Le gron-
dement humain s'intensifia, tout comme les odeurs. Puis il
y eut un instant de silence, on retourna le sac, et Pur-Porc
dégringola dans un déluge de bruit et sur un amas grouil-
lant de rats.

À coups de dents et de griffes, il se fraya un chemin jusqu'au sommet du tas alors que les rats s'égaillaient, et il vit qu'on descendait un chien grondant dans la fosse. Le chien saisit un rongeur d'un mouvement vif, le secoua vigoureusement et fit voler le cadavre inerte.

Les rats s'enfuirent en désordre.

« Imbéciles ! brailla Pur-Porc. Coopérez ! Vous pourriez bouffer ce sac à puces jusqu'à l'os ! »

La foule cessa de crier.

Le chien baissa le museau vers Pur-Porc et le regarda fixement. Il s'efforçait de réfléchir. Le rat avait parlé. Seuls les humains parlaient. Et il ne dégageait pas une odeur normale. Les rats puaient la panique. Celui-là non.

Le silence résonnait comme une cloche.

Puis Jacko saisit le rat, le secoua – pas trop fort – et le balança par terre. Il avait décidé de procéder à une espèce d'essai : les rats ne pouvaient pas en principe parler comme les humains, seulement ce rat avait l'air d'un rat – tuer les rats était permis – mais parlait comme un humain – quand on mordait les humains on avait droit à une sérieuse correction. Il lui fallait une certitude. S'il recevait une beigne, ce rat était un humain.

Pur-Porc roula sur lui-même et réussit à se relever impeccablement, mais il avait une morsure profonde au flanc.

Les autres rats formaient encore un amas bouillonnant aussi loin que possible du chien, chacun cherchant à se retrouver dessous.

Pur-Porc cracha du sang. « Bon, d'accord, gronda-t-il en avançant vers le chien décontenancé. Tu vas voir comment meurt un vrai rat ! »

« — Pur-Porc ! »

Il leva la tête.

Une ficelle se déroulait derrière Sardines qui plongeait dans le vide vers le cercle de folie. Il était juste au-dessus de Pur-Porc, de plus en plus gros…

… et de plus en plus lent…

Il s'immobilisa entre le chien et le rat. L'espace d'un instant il resta en suspens. Il souleva poliment son chapeau. « Bonsoir ! » lança-t-il. Puis il étreignit Pur-Porc de ses quatre pattes.

La corde d'élastiques tendus à l'extrême finit alors par se rétracter. Trop tard, bien trop tard, Jacko referma les mâchoires sur le néant.

Les rats s'élevèrent de plus en plus vite hors de la fosse… et s'arrêtèrent pour se balancer dans le vide, hors de portée.

Le chien avait toujours la tête levée lorsque Noir-mat sauta de l'autre bout de la poutre. Sous les yeux étonnés des spectateurs, il plongea sur le terrier.

Les yeux de Jacko s'étrécirent. Des rats qui disparaissaient en l'air, c'était une chose, mais des rats qui lui tombaient directement dans la gueule… c'était du rat sur un plateau, du rat en bâtonnet.

Noir-mat jeta un regard en arrière durant sa chute. En haut, Nutritionnelle nouait et mordait frénétiquement. Noir-mat se trouvait à présent à l'autre bout de l'élastique de Sardines. Mais Sardines lui avait donné des explications détaillées. Son seul poids ne suffisait pas pour faire remonter ses deux compagnons vers la poutre…

Aussi, quand il vit que Sardines et son passager gesticulant avaient disparu dans les ténèbres du toit…

… Noir-mat lâcha la vieille et imposante lampe à huile qu'il tenait pour s'alourdir et trancha la corde d'un coup de dent.

La lampe s'abattit brutalement sur Jacko, et Noir-mat atterrit sur la lampe avant de rouler à terre.

Les spectateurs gardaient le silence. Ils restaient muets depuis l'ascension de Pur-Porc hors de la fosse. Autour du sommet de la paroi qui, oui, était bien trop haut pour qu'un rat l'atteigne d'un bond, Noir-mat voyait des visages. Rouges pour la plupart. Le plus souvent bouche bée. De grosses figures cramoisies prenant leur inspiration pour se mettre à crier d'un instant à l'autre.

Autour de lui, les rats survivants pédalaient vainement contre la paroi pour trouver une prise. Les imbéciles, se dit-il. Quatre ou cinq d'entre vous suffiraient à faire regretter à n'importe quel chien de vous avoir connus. Mais vous grattez, vous paniquez et vous vous faites démolir un par un…

Jacko, un brin étourdi, battit des paupières et baissa les yeux sur Noir-mat tandis qu'un grognement lui montait dans la gorge.

« D'accord, espèce de *kkrrkk*, lança Noir-mat assez fort pour que les spectateurs l'entendent. Maintenant je vais te montrer comment vit un rat. »

Il passa à l'attaque.

Jacko n'était pas un mauvais chien dans son genre. C'était un terrier qui aimait de toute façon tuer les rats, et, quand il tuait beaucoup de rats dans la fosse, on le nourrissait bien, on le félicitait et on lui flanquait moins souvent des coups de pied. Certains rats se défendaient, mais ça ne lui posait guère de problèmes parce qu'ils étaient plus petits que lui et qu'il disposait d'un plus grand nombre de dents. Jacko n'était pas très malin, mais tout de même davantage qu'un rat et, n'importe comment, il réfléchissait surtout avec sa truffe et sa gueule.

Il fut donc surpris quand ses mâchoires se refermèrent dans un claquement sur ce nouveau rat qui, soudain, n'était plus là.

Noir-mat ne courait pas comme les rats habituels. Il esquivait comme un combattant. Il donna un coup de dent à Jacko sous le menton et disparut. Le chien se retourna d'un bloc. Toujours pas de rat ! Jacko avait passé sa carrière dans le spectacle à mordre des rats qui s'efforçaient de fuir. Les rats qui restaient tout près, c'était déloyal !

Un rugissement monta des spectateurs. L'un d'eux cria « Dix piastres sur le rat ! » et un voisin lui boxa l'oreille. Un autre homme entreprit de passer dans la fosse. On lui brisa une bouteille de bière sur le crâne.

Dansant d'avant en arrière sous un Jacko qui tournait sur place et jappait, Noir-mat attendait l'occasion...

... Il la vit, se fendit en avant et mordit de toutes ses forces.

Les yeux de Jacko roulèrent dans leurs orbites. Une partie très intime de son anatomie qui n'intéressait que lui et toutes les chiennes qu'il pouvait croiser n'était soudain plus qu'une petite boule de douleur.

Il glapit. Il mordit dans le vide. Puis, dans une tempête de cris, il voulut escalader la paroi pour sortir de l'arène. Ses griffes grattèrent désespérément tandis qu'il se cabrait contre les planches lisses et glissantes.

Noir-mat lui sauta sur la queue, grimpa le long de son échine à toute allure, trottina jusqu'à l'extrémité du museau et sauta par-dessus le bord de la fosse.

Il atterrit au milieu de jambes. Les hommes cherchèrent à l'écraser, mais il aurait fallu que leurs voisins leur laissent un peu d'espace. Le temps qu'ils se poussent du coude et se marchent lourdement sur les pieds, Noir-mat avait disparu.

Mais il y avait d'autres chiens. Déjà à moitié fous d'excitation, ils se libérèrent brusquement de leurs cordes et leurs chaînes pour se lancer aux trousses d'un rongeur en fuite. Ils savaient chasser les rats.

Noir-mat, lui, savait fuir. Il traversa l'écurie comme une comète, talonné par une meute de chiens grondants et aboyants, se dirigea vers un recoin sombre, repéra un trou entre les planches et plongea vers des ténèbres douces et sûres…

Clac, fit le piège.

Chapitre 9

Fred le fermier ouvrit la porte et vit tous les animaux de Fondapoil qui l'attendaient. « Nous ne retrouvons pas monsieur Lapinou ni Rupert Ratichon ! » s'écrièrent-ils.

L'Aventure de monsieur Lapinou.

Enfin ! lâcha Malicia en se débarrassant des cordes. « Je croyais tout de même que des rats rongeraient plus vite.

— Ils se sont servis d'un couteau, lui rappela Keith. Et tu pourrais dire merci, non ?

— Oui, oui, dis-leur que je leur en suis très reconnaissante, fit Malicia en se relevant d'une poussée.

— Dis-leur toi-même !

— Pardon, je trouve ça tellement gênant de... parler à des rats.

— Ça se comprend, j'imagine. Si on t'a appris à les détester parce qu'ils…

— Oh, ce n'est pas ça, dit Malicia en se dirigeant vers la porte pour examiner le trou de serrure. C'est tellement… puéril, voilà. Tellement… cucul. Tellement… monsieur Lapinou.

— Monsieur Lapinou ? » couina Pêches. C'était vraiment un couinement, les mots étaient sortis comme une espèce de petit cri.

« Qu'est-ce qu'il a, monsieur Lapinou ? » demanda Keith.

Malicia mit la main dans sa poche et en sortit un paquet d'épingles à cheveux tordues. « Oh, des bouquins écrits par une imbécile, répondit-elle en triturant la serrure. Des histoires idiotes pour des gamins gnangnans. Il y a un rat, un lapin, un serpent, une poule et une chouette, ils passent leur temps à porter des habits et à parler aux hommes, et tout le monde est si gentil et correct qu'il y a de quoi en tomber carrément malade. Tu sais que mon père les a tous gardés depuis tout gamin ? *L'Aventure de monsieur Lapinou, La Folle Journée de monsieur Lapinou, Rupert Ratichon tape dans le mille*… Il me les a tous lus quand j'étais petite et il n'y a pas un seul beau meurtre dans aucun d'eux.

— Je crois que tu ferais mieux de te taire », dit Keith. Il n'osait pas baisser les yeux sur les rats.

« Pas de thème sous-jacent, pas d'observation sociale… » Malicia poursuivit, sans cesser de tripoter la serrure : « L'événement le plus grave, c'est quand Doris la cane perd une chaussure – un canard qui perd une chaussure, vous imaginez ? – et ils la retrouvent sous le lit après avoir passé toute l'histoire à la chercher. Tu appelles ça de la tension narrative, toi ? Moi pas. Si les auteurs doivent imaginer des histoires ridicules d'animaux qui jouent aux êtres humains, ils pourraient au moins y mettre un peu de saine violence…

— Oh là là », fit Maurice derrière la grille.

Cette fois, Keith ne baissa pas les yeux. Pêches et Pistou étaient partis. « Tu sais, je n'ai jamais eu le courage de leur avouer, fit-il comme pour lui seul. Ils croyaient que tout était vrai.

— Au pays de Fondapoil peut-être, dit Malicia qui se redressa alors que la serrure lâchait un ultime *clic*. Mais pas ici. Comment imaginer qu'on puisse trouver un nom pareil sans rigoler ? Allons-y.

— Tu les as fâchés.

— Écoute, on sort d'ici avant que les chasseurs de rats reviennent, oui ou non ? »

La particularité de cette fille, songea Maurice, c'est qu'elle n'entend pas sur quel ton on lui parle. Elle a du mal à entendre, pour tout dire.

« Non, fit Keith.

— Non quoi ?

— Non, je ne vais pas avec toi. Il se passe du vilain par ici, bien pire que des histoires de crétins qui volent des vivres. »

Maurice les regarda se disputer une fois de plus. Les humains, hein ? Se prennent pour les seigneurs de la création. Pas comme nous, les chats. Nous, on sait qu'on l'est. Déjà vu un chat donner à manger à un humain ? La preuve est faite.

Ça crie beaucoup, les humains, lui souffla une petite voix sous son crâne.

Est-ce ma conscience ? se demanda Maurice. Ses propres pensées lui répondirent : Qui ça, moi ? Non. Mais je me sens beaucoup mieux depuis que je leur ai avoué pour Additifs. Il passa d'une patte sur l'autre, mal à l'aise. « Bon, alors, murmura-t-il en se regardant le ventre, c'est toi, Additifs ? »

Il était perturbé depuis le moment où il s'était aperçu qu'il avait boulotté un Changé. Ils avaient des voix, pas vrai ? Admettons que tu en manges un. Admettons que sa voix te reste dans le ventre. Admettons que… le rêve d'Additifs se balade en toi. Un détail pareil a de quoi gâcher la sieste d'un chat, oh oui.

Non, fit la voix comme le bruit du vent dans les arbres au loin, *c'est moi. Je suis… **Araignée**.*

« Oh, tu es une araignée ? murmura Maurice la pensée. Je pourrais me faire une araignée avec trois pattes attachées dans le dos. »

*Pas une araignée. **Araignée**.*

Le mot faisait franchement mal. Il n'avait pas fait mal plus tôt.

*Je suis maintenant dans ta **tête**, le chat. Les chats, les chats, mauvais comme les chiens, pires que les rats. Je suis dans ta **tête** et je ne m'en irai **jamais**.*

La patte de Maurice se contracta.

*Je serai dans tes **rêves**.*

« Écoute, je ne fais que passer, chuchota un Maurice désespéré. Je ne cherche pas les ennuis. On ne peut pas compter sur moi ! Je suis un chat ! Moi-même, je ne me ferais pas confiance, et pourtant c'est moi ! Laisse-moi retrouver le bon air frais et je ne reste pas dans tes… pattes, tes cheveux, tes poils ou ce que tu veux ! »

*Tu ne veux pas te **sauver**.*

C'est vrai, se dit Maurice, je ne veux pas me sauver... Minute, si, je veux me sauver !

« Je suis un chat ! marmonna-t-il. Ce n'est pas un rat qui va me diriger. Tu as déjà essayé ! »

Oui, répondit la voix d'Araignée, *mais alors tu étais **fort**. À présent ton petit esprit tourne en rond et il a envie qu'un autre pense à sa place. Je peux penser pour toi.*

Je peux penser pour tout le monde.

Je serai toujours avec toi.

D'accord, se dit Maurice. C'est le moment de dire au revoir à Bad Igoince, alors. La fête est terminée. Les rats sont avec des tas d'autres rats, et même les deux jeunes humains sont l'un avec l'autre, mais moi je suis tout seul et j'aimerais bien m'emmener là où des voix étranges ne me parlent pas. « 'scusez-moi, dit-il en élevant la voix. On y va ou quoi ? »

Les deux humains se retournèrent pour regarder la grille.

« Hein ? fit Keith.

— J'aimerais mieux m'en aller, répondit Maurice. Retire-moi cette grille, tu veux ? Elle est complètement rouillée. Ça ne devrait pas poser de problème. Tu seras gentil. Et ensuite on se sauve...

— Ils ont fait appel à un joueur de flûte, Maurice, dit Keith. Et le clan est dispersé partout. Il sera là dans la matinée. Un vrai joueur de flûte, Maurice. Pas un faux comme moi. Ils ont des flûtes magiques, tu sais. Tu veux voir ça arriver à nos rats ? »

Sa nouvelle conscience flanqua un bon coup de pied à Maurice. « Ben, pas exactement, fit-il à contrecœur. Je ne veux pas le voir vraiment, non.

— D'accord. Alors on ne se sauve pas.

— Oh ? Et on fait quoi, alors ? demanda Malicia.

— On va parler aux chasseurs de rats quand ils reviendront », répondit Keith.

Il avait le regard songeur.

« Et qu'est-ce qui te fait croire qu'ils voudront nous parler ?

— S'ils ne nous parlent pas, ils mourront. »

Les chasseurs de rats arrivèrent vingt minutes plus tard. La porte de leur cabane fut déverrouillée, poussée violemment puis rabattue à la volée. Le second chasseur la referma aussi au verrou.

« Tu te souviens quand tu m'as dit qu'on allait se payer une soirée du tonnerre ? fit-il, hors d'haleine, en s'adossant contre le battant. J'aimerais que tu m'en reparles, parce que je crois avoir loupé cet épisode-là.

— La ferme, dit le premier chasseur.

— On m'a donné un coup de poing dans l'œil.

— La ferme.

— En plus, je crois que j'ai perdu mon portefeuille. Vingt piastres que je ne suis pas près de revoir.

— La ferme.

— Et je n'ai pas pu récupérer un seul des rats survivants du dernier combat !

— La ferme.

— Et on a aussi laissé les chiens ! On aurait pu s'arrêter pour les détacher ! Quelqu'un va les faucher.

— La ferme.

« — Est-ce que les rats fendent souvent l'air comme ça ?
À moins que ce soit un phénomène dont on entend
seulement parler quand on est un chasseur de rats de
grande ex-pé-rien-ce ?

— Je t'ai déjà dit de la fermer ?

— Oui.

— La ferme. D'accord, on s'en va tout de suite. On
ramasse l'argent et on pique un bateau à quai, d'accord ?
On va laisser ce qu'on a pas vendu et filer.

— Comme ça ? Jeannot Sans-les-mains et ses gars
remontent la rivière demain soir pour récupérer le charge-
ment suivant et…

— On s'en va, Bill. Je sens que ça tourne mal.

— Comme ça ? Il nous doit deux cents piast…

— Oui ! Comme ça ! Il est temps de partir ! C'est cuit,
l'oiseau s'est envolé, on a d'autres chats à fouetter ! Le…
C'est toi qui as dit ça ?

— Dit quoi ?

— T'as pas dit : "J'espère bien" ?

— Moi ? Non. »

Le chasseur fit du regard le tour de la cabane.

Personne.

« Bon, d'accord, reprit-il. La nuit a été longue. Écoute,
quand ça commence à tourner mal, c'est qu'il est temps de
partir. Sans éclats. On se tire, vu ? Je veux pas être là quand
les autres viendront nous chercher. Et je veux surtout pas
voir un seul de ces joueurs de flûte. Des malins, ces gars-là.
Ils fouinent partout. Et ils coûtent beaucoup d'argent. Les
gens vont poser des questions, et la seule que je veux qu'ils
posent, c'est : "Où sont passés les chasseurs de rats ?"
Compris ? Il faut savoir quand mettre les pouces. Pas de

quoi se miner. Il nous reste combien dans la cagnotte…?
Qu'est-ce que t'as dit?

— Hein? Moi? Rien. Une tasse de thé? Tu te sens toujours mieux après une tasse de thé.

— T'as pas dit "Minet toi-même"? fit le premier chasseur.

— Je t'ai demandé si tu voulais une tasse de thé, c'est
tout! Parole! Tu vas bien? »

Le premier chasseur regarda fixement son copain, l'air
de chercher un mensonge sur sa figure. « Ouais, ouais,
répondit-il. Je vais bien. Trois sucres, alors.

— C'est ça, fit le second chasseur en versant les cuille-
rées. Faut maintenir le taux de sucre dans le sang. Faut
prendre soin de toi. »

Le premier saisit la chope, sirota son thé et en contempla
la surface tourbillonnante. « Comment on s'est retrouvés
dans cette histoire? fit-il. Dans tout ça, je veux dire? Tu
comprends? Des fois, je me réveille la nuit et je pense :
Tout ça, c'est ridicule. Puis je vais au boulot et tout me
paraît sensé, quoi. J'veux dire, voler des trucs, en accuser
les rats, oui, en élever de gros bien coriaces pour les fosses,
ramener les survivants pour en produire de plus gros
encore, oui, mais… chaispas… j'étais pas un gars à ligoter
des gamins…

— On a gagné un bon paquet de fric tout de même.

— Ouais. » Le premier chasseur touilla le thé dans sa
chope et but une nouvelle gorgée. « Ça compte, j'imagine.
C'est un nouveau thé, ça ?

— Non, c'est du Lord Green comme d'habitude.

— L'a un goût un peu différent. » Il vida sa chope et la
posa sur l'établi. « D'accord, on va prendre…

— Ça suffit comme ça, fit une voix au-dessus d'eux. Maintenant, vous ne bougez plus et vous m'écoutez. Si vous vous sauvez, vous mourez. Si vous parlez trop, vous mourez. Si vous attendez trop, vous mourez. Si vous vous croyez malins, vous mourez. Des questions ? »

Quelques volutes de poussière tombèrent des chevrons. Les chasseurs levèrent les yeux et virent une tête de chat qui les observait.

« C'est le sale greffier du gamin ! fit le premier chasseur de rats. Je te l'avais bien dit qu'il me regardait d'un drôle d'air !

— À votre place, je ne me regarderais pas, dit Maurice sur le ton de la conversation. Je regarderais plutôt la mort-aux-rats. »

Le second chasseur se retourna vers la table. « Hé, qui nous a volé du poison ? lança-t-il.

— Oh, fit le premier chasseur qui avait l'esprit beaucoup plus vif.

— Volé ? dit le chat depuis les hauteurs. On ne vole pas, nous. Ce serait malhonnête. On déplace.

— Oh. » Le premier chasseur s'assit brusquement.

« C'est dangereux, ce produit, dit le second en cherchant un projectile. T'avais pas à y toucher ! Dis-moi tout de suite où il est ! »

Un choc sourd lui répondit lorsque la trappe par terre s'ouvrit et claqua sur le plancher. Keith sortit la tête puis monta l'échelle sous l'œil ahuri des chasseurs.

Il tenait un sachet en papier tout froissé.

« Oh là là, fit le premier chasseur.

— Qu'est-ce que t'as fait du poison ? demanda le second.

— Ben, fit Keith, maintenant que vous en parlez, je crois que j'en ai versé la majeure partie dans le sucre... »

Noir-mat reprit connaissance. Il avait le dos en feu et ne pouvait pas respirer. Il sentait le poids de la mâchoire du piège qui l'écrasait et la morsure terrible des dents d'acier sur son ventre.

Je ne devrais pas être vivant, songea-t-il. Je préférerais être mort...

Il essaya de se soulever, ce qui n'arrangea rien. La douleur revint un peu plus forte quand il retomba.

Fait comme un rat, se dit-il.

Je me demande de quel modèle il s'agit.

« Noir-mat ? »

La voix venait d'un peu plus loin. Noir-mat voulut parler, mais le plus petit mouvement le pressait davantage contre les dents du bas.

« Noir-mat ? »

Le rat réussit à émettre un faible couinement. Les mots lui faisaient trop mal.

Des pattes s'avancèrent à tâtons dans les ténèbres sèches.

« Noir-mat ! »

L'odeur était celle de Nutritionnelle.

« Gnh, parvint à lâcher Noir-mat en s'efforçant de tourner la tête.

— Tu es pris dans un piège ! »

C'était plus qu'il n'en pouvait supporter, même si chaque parole le mettait à la torture. « Oh... vraiment ? fit-il.

— Je vais aller chercher S-sardines, d'accord ? » bafouilla Nutritionnelle.

Noir-mat sentait monter la panique de la rate. Et ce n'était pas le moment de paniquer. « Non ! Dis… moi… haleta-t-il… quel… type… de… piège ?

— Euh… euh… euh… » fit Nutritionnelle.

Noir-mat prit une inspiration profonde et cuisante. « Réfléchis, espèce de… pisseuse lamentable !

— Euh… euh… c'est tout rouillé… euh… De la rouille partout ! On dirait… euh… peut-être un… Casse-reins… » Noir-mat entendit des grattements derrière lui. « Oui ! J'ai rongé un peu de rouille ! C'est écrit : *Frères Nogent Casse-reins série 1*, chef ! »

Noir-mat s'efforça de réfléchir tandis que la pression constante et horrible l'écrasait davantage. Série 1 ? Ancienne donc ! Un modèle qui remontait à la nuit des temps ! Le plus vieux qu'il avait croisé était un Casse-reins amélioré série 7 ! Et pour l'aider il n'avait que Nutritionnelle, une parfaite *drrtlt* avec quatre pattes gauches.

« Tu peux… voir comment… ? » commença-t-il, mais des lumières violettes lui dansaient maintenant devant les yeux, un grand tunnel de lumières violettes. Il essaya encore alors qu'il se sentait dériver vers elles. « Tu… peux… voir… comment… les… ressorts… ?

— C'est tout rouillé, chef ! lui répondit la voix paniquée. Ça ressemble à un mécanisme à sens unique comme dans le Grand Broyeur de Jennequin & Jennequin, chef, mais sans le crochet au bout ! À quoi sert ce machin-là, chef ? Chef ? *Chef ?* »

Noir-mat sentit la douleur s'en aller. C'est donc ainsi que ça se passe, songea-t-il confusément. Trop tard maintenant. Elle va paniquer et détaler. C'est ce qu'on fait tous. Au moindre pépin, on fonce vers le premier trou. Mais ça n'a pas d'importance. C'est comme un rêve, après tout. Pas de quoi s'inquiéter. Plutôt agréable, en fait. Peut-être existe-t-il vraiment un Grand Rat au Fond de la Terre. Ce serait bien.

Il se laissait aller avec bonheur dans le silence chaud. Il se passait des événements graves, mais très loin et ça n'avait plus d'importance…

Il crut entendre un bruit derrière lui, comme des griffes de rat sur des dalles de pierre. Peut-être Nutritionnelle qui se sauve, dit un recoin de son cerveau. Mais un autre objecta : C'est peut-être le rat squelette.

L'idée ne lui faisait pas peur. Rien ici ne pouvait lui faire peur. Tous les coups durs, c'était du passé. Il sentait que, s'il tournait la tête, il verrait quelque chose. Mais c'était plus facile de se laisser flotter dans ce grand espace chaud.

La lumière violette s'assombrissait maintenant en un bleu profond, et, au milieu du bleu, s'ouvrait un rond noir.

On aurait dit un tunnel de rat.

C'est là qu'il vit, se dit Noir-mat. C'est le tunnel du Grand Rat. Tout est très simple…

Un point blanc éclatant naquit au centre du tunnel et grossit rapidement.

Et le voici, songea Noir-mat. Il doit savoir beaucoup de choses, le Grand Rat. Je me demande ce qu'il va me dire.

La lueur grandit encore et se mit effectivement à ressembler à un rat.

C'est étrange, songea Noir-mat tandis que la lumière bleue se fondait dans le noir, de découvrir que tout est vrai. Donc on s'en va dans le tunn…

Un bruit retentit. Emplit le monde. Et la douleur, terrible, atroce, revint. Et le Grand Rat cria de la voix de Nutritionnelle :

« J'ai rongé le ressort, chef. Je l'ai rongé ! Un vieux ressort pas très solide, chef ! Sans doute pour ça que vous n'êtes pas coupé en deux, chef ! Vous m'entendez, chef ? Noir-mat ? Chef ? J'ai rongé le ressort, chef ! Vous êtes encore mort, chef ? Chef ? »

Le premier chasseur de rats, serrant les poings, bondit de sa chaise.

Du moins, il bondit au début. À mi-parcours, il se mit à tituber. Il se rassit lourdement en se tenant le ventre.

« Oh non. Oh non. Je le savais bien que ce thé avait un drôle de goût… » marmonna-t-il.

Le second chasseur avait viré au vert pâle. « Espèce de sale petit… commença-t-il.

— Et ne songez pas à nous sauter dessus, dit Malicia. Vous ne sortiriez pas d'ici vivants. On pourrait être blessés et oublier où on a mis l'antidote. Vous n'avez pas le temps de nous sauter dessus. »

Le premier chasseur tenta encore de se lever, mais ses jambes refusèrent de répondre. « C'était quoi comme poison ? marmonna-t-il.

— D'après l'odeur, c'est celui que les rats appellent "numéro trois", répondit Keith. Il était dans le sac étiqueté *Tuenmasse !!!*.

— Les rats l'appellent "numéro trois" ? fit le second chasseur.

— Ils connaissent tout sur les poisons, répondit Keith.

— Et ils vous ont parlé de l'antidote, hein ? »

Le premier chasseur lui jeta un regard noir. « On les a entendus parler, Bill. Dans la fosse, tu te souviens ? » Il se tourna vers Keith et secoua la tête. « Nan, dit-il. T'as pas l'air du gamin qui empoisonnerait un homme de sang-froid…

— Et moi ? lança Malicia en se penchant.

— Elle, oui ! Elle, oui ! fit le second chasseur en serrant le bras de son collègue. Elle est bizarre, celle-là. Tout le monde le dit ! » Il s'étreignit encore le ventre et se courba en gémissant.

« Tu as parlé d'un antidote, dit le premier chasseur. Mais y a pas d'antidote au Tuenmasse !!!.

— Moi je vous dis qu'il y en a un, dit Keith. Les rats en ont trouvé un. »

Le second chasseur tomba à genoux. « S'il vous plaît, jeune homme ! Ayez pitié ! Pensez au moins à ma chère femme et à mes quatre enfants adorables qui seront privés de père !

— Vous n'êtes pas marié, lui rappela Malicia. Vous n'avez pas d'enfants !

— Je pourrais en vouloir un jour !

— Qu'est-ce qui est arrivé au rat que vous avez emmené ? demanda Keith.

— Chaispas, m'sieur. Un rat avec un chapeau est descendu du toit, puis il l'a attrapé et s'est envolé ! marmonna le second chasseur. Et, après, un autre gros rat est tombé dans la fosse, a crié contre tout le monde, a mordu Jacko aux… j'peux pas dire le nom, a sauté hors de la fosse et a piqué un sprint !

— On dirait que tes rats vont bien, fit Malicia.

— Je n'ai pas fini, reprit Keith. Vous avez volé tout le monde et accusé les rats, hein ?

— Oui ! C'est ça ! Oui ! C'est vrai, c'est vrai !

— Vous avez tué les rats », dit doucement Keith.

La tête du premier chasseur pivota sèchement. La voix du jeune homme avait un accent qu'il reconnaissait. Il avait déjà entendu ça près de la fosse. On y voyait parfois de ces gros flambeurs aux gilets fantaisie qui parcouraient les montagnes, gagnaient leur vie en pariant et donnaient la mort en poignardant. Ils avaient tous une lueur dans l'œil et un accent dans la voix. On les connaissait sous le nom de « gentilshommes tueurs ». On ne contrariait pas un gentilhomme tueur.

« Oui, oui, c'est vrai, on est d'accord ! bredouilla le second chasseur.

— Là, vas-y doucement, Bill, fit le premier sans quitter Keith des yeux.

— Pourquoi vous avez fait ça ? » demanda celui-ci.

Le second chasseur regarda son patron puis Malicia et ensuite Keith, comme s'il cherchait à décider lequel lui flanquait le plus la trouille.

« Ben, d'après Ronald, les rats mangeaient de toute façon les provisions, expliqua-t-il. Alors… il a dit que, si on se débarrassait de tous les rats et qu'on piquait les provisions nous-mêmes, ça serait pas exactement du vol, pas vrai ? Plutôt… de la redistribution. Ronald connaît un type qui remonte la rivière avec une péniche à voile en pleine nuit et qui nous paye…

— C'est un mensonge démoniaque ! cracha le premier chasseur qui parut alors sur le point de vomir.

— Mais vous avez pris des rats vivants et les avez entassés dans des cages sans leur donner à manger, reprit Keith. Ils mangent du rat, ces rats-là. Pourquoi vous avez fait ça ? »

Le premier chasseur se cramponna le ventre. « Il se passe des trucs, je le sens ! dit-il.

— C'est seulement votre imagination ! répliqua sèchement Keith.

— Ah bon ?

— Oui. Vous ne savez donc rien des poisons que vous utilisez ? Votre estomac ne va pas commencer à se dissoudre avant au moins vingt minutes.

— Terrible ! fit Malicia.

— Et après ça, poursuivit Keith, si vous vous mouchez, votre cerveau... ben, disons qu'il va vous falloir un très grand mouchoir.

— C'est génial ! dit Malicia en fourrageant dans son sac. Je vais prendre des notes !

— Et ensuite, si vous... N'allez pas aux toilettes, c'est tout. Ne me demandez pas pourquoi. Surtout pas. Tout sera terminé dans une heure, sauf pour les suintements. »

Malicia griffonnait à toute allure. « Est-ce qu'ils vont couler de partout ? demanda-t-elle.

— Oh oui, répondit Keith sans quitter les deux hommes des yeux.

— C'est inhumain ! s'écria le second chasseur.

— Non, c'est très humain. Extrêmement humain. Aucune bête au monde ne le ferait à un être vivant, mais vos poisons le font aux rats tous les jours. Maintenant vous allez me parler des rats dans les cages. »

La sueur dégoulinait sur la figure de l'assistant du chasseur de rats. Il avait lui aussi l'air pris au piège. « Voyez, les

chasseurs ont toujours attrapé des rats vivants pour les
fosses, gémit-il. C'est un petit à-côté. Rien de mal là-
dedans ! Toujours fait comme ça ! Il nous fallait des
réserves, alors on en a élevé. Fallait bien ! Pas de mal à leur
donner à manger les rats morts des fosses. Tout le monde
sait que les rats mangent du rat, du moment qu'on enlève
le bout vert tout mou ! Et après…

— Oh ? Il y a un après ? fit Keith d'une voix calme.

— Ronald a dit que, si on élevait des rats à partir de ceux
qui avaient survécu à la fosse, vous savez, ceux qui ont
évité les chiens, ben, on obtiendrait des rats plus gros, plus
efficaces, voyez ?

— C'est scientifique, ça, fit le premier chasseur.

— Quel intérêt ? demanda Malicia.

— Ben, mademoiselle, on… répondit Ronald, on s'est
dit… je me suis dit… on s'est dit que… ben, c'est pas vraiment de la triche de mêler des rats plus coriaces aux autres,
voyez, surtout si le chien qui entre dans la fosse est un peu
limite. Quel mal y a à ça ? Ça donne du piment, voyez,
quand il faut parier. Je me suis dit… il s'est dit…

— Vous n'avez pas l'air de bien savoir qui a eu l'idée, fit
Keith.

— C'est lui », dirent ensemble les chasseurs de rats.

C'est moi, fit une voix dans la tête de Maurice. Le chat
faillit tomber de son perchoir. *Ce qui ne nous tue pas nous
rend plus forts*, reprit la voix d'Araignée. *L'espèce la plus
forte*.

« Vous voulez dire, remarqua Malicia, que sans chasseurs il y aurait moins de rats chez nous ? » Elle marqua un
temps, la tête penchée. « Non, ça ne colle pas. Je ne le sens
pas. Il y a autre chose. Quelque chose que vous ne nous

avez pas dit. Les rats dans les cages sont... fous, déments... »

Je le serais aussi, songea Maurice, avec cette voix horrible dans la tête à chaque heure de la journée.

« Je vais dégobiller, dit le premier chasseur. Je vais... je vais...

— Ne faites pas ça, lui conseilla Keith en observant le second. Ça ne vous plaira pas. Alors, monsieur le chasseur assistant ?

— Demande-leur ce qu'il y a dans l'autre cave », dit Maurice. Il lança la phrase très vite ; il sentait la voix d'Araignée essayer d'empêcher sa bouche de s'ouvrir au moment où elle sortait.

« Qu'est-ce qu'il y a dans l'autre cave, alors ?

— Oh, d'autres bricoles, de vieilles cages, des trucs comme ça... répondit le second chasseur.

— Quoi d'autre ? insista Maurice.

— Seulement... seulement... c'est là que... » La bouche du chasseur s'ouvrit et se referma. Ses yeux lui sortirent des orbites. « Je peux pas dire, reprit-il. Euh... Y a rien. Oui, c'est ça. Y a rien dedans, que les vieilles cages. Oh, et la peste. Faut pas y entrer à cause de la peste. C'est pour ça qu'il faut pas y aller, voyez ? À cause de la peste.

— Il ment, fit Malicia. Pas d'antidote pour lui.

— J'étais obligé ! gémit le second chasseur. Il faut en faire un pour entrer à la Guilde !

— C'est un secret de la Guilde ! lui jeta le premier chasseur. On révèle pas les secrets de la Guilde... » Il s'interrompit pour étreindre son ventre qui gargouillait.

« Qu'est-ce que vous étiez obligé de faire ? demanda Keith.

— Un roi des rats ! s'écria le second chasseur.

— Un roi des rats ? répéta sèchement Keith. C'est quoi, ça, un roi des rats ?

— Je... je... je... bredouilla l'homme. Arrêtez ça, je... je... je veux pas... » Des larmes lui coulèrent sur la figure. « On... j'ai créé un roi des rats... Arrêtez ça, arrêtez ça... arrêtez ça...

— Et il vit toujours ? » demanda Malicia.

Keith, stupéfait, se tourna vers la jeune fille. « Tu connais ces trucs-là, toi ? lança-t-il.

— Évidemment. Il y a des tas d'histoires là-dessus. Les rois des rats sont terriblement malfaisants. Ils...

— L'antidote, l'antidote, s'il vous plaît, geignit le second chasseur. J'ai l'impression d'avoir des rats qui me courent dans le ventre !

— Vous avez créé un roi des rats, répéta Malicia. Oh là là. Ben, on a laissé l'antidote dans la petite cave où vous nous avez enfermés. Je me dépêcherais à votre place... »

Les deux hommes se relevèrent sur des jambes flageolantes. Le premier chasseur tomba par la trappe. Son assistant lui atterrit dessus. En jurant, en gémissant et, il faut l'avouer, en pétant abondamment, ils gagnèrent la cave.

La bougie de Pistou était toujours allumée. À côté trônait un gros tortillon de papier.

La porte claqua derrière les deux hommes. Ils entendirent qu'on coinçait un morceau de bois dessous.

« Il y a assez d'antidote pour une personne, fit la voix assourdie de Keith à travers la porte. Mais je suis sûr que vous vous débrouillerez... humainement. »

Noir-mat s'efforça de reprendre son souffle et crut ne jamais y arriver, même en inspirant pendant un an. Un étau de douleur lui broyait la poitrine et le dos.

« C'est incroyable ! dit Nutritionnelle. Vous étiez mort dans le piège et maintenant vous êtes vivant !

— Nutritionnelle ? fit tout doucement Noir-mat.

— Oui, chef ?

— Je te… remercie beaucoup, dit-il d'une voix encore sifflante, mais ne raconte pas de bêtises. Le ressort était tendu, faible et… les dents étaient émoussées et rouillées. C'est tout.

— Mais vous avez des traces de dents partout ! Personne ne s'est encore sorti d'un piège à part les Couinou, mais ils étaient en caoutchouc ! »

Noir-mat se lécha le ventre. Nutritionnelle avait raison. Il avait l'air transpercé. « J'ai eu de la chance, dit-il.

— Aucun rat n'est jamais sorti vivant d'un piège, répéta Nutritionnelle. Vous avez vu le Grand Rat ?

— Le quoi ?

— Le Grand Rat !

— Oh, ça. » Noir-mat allait ajouter : Non, je ne crois pas à ces niaiseries, mais il se retint. Il se rappelait la lumière, puis les ténèbres devant lui. Ça n'avait pas l'air méchant. Il avait failli regretter que Nutritionnelle le libère. Dans le piège, la douleur lui paraissait loin. Et il avait cessé de devoir prendre des décisions difficiles. Il se contenta donc de demander : « Pur-Porc va bien ?

— Plus ou moins. Je veux dire, on ne lui a pas trouvé de blessure inguérissable. Il a connu pire. Mais, enfin, il était vieux. Presque trois ans.

— Était ?

— Il est vieux, je veux dire, chef. Sardines m'a envoyée vous chercher parce qu'on va avoir besoin de vous pour nous aider à le ramener, mais… » Nutritionnelle lui jeta un regard incertain.

« Ça va, c'est moins grave que ça en a l'air, j'en suis sûr, dit Noir-mat en grimaçant. On remonte là-haut, d'accord ? »

Les vieux bâtiments ne manquent pas de prises pour les pattes des rats. Nul ne les remarqua tandis qu'ils grimpaient d'une mangeoire à une selle, d'un harnais à un râtelier de foin. D'ailleurs, personne ne les cherchait. Quelques-uns des autres rats avaient suivi la route Jacko vers la liberté, les chiens devenaient fous à force de les chercher et de se battre entre eux. Tout comme les hommes.

Noir-mat connaissait un peu la bière car il avait beaucoup rôdé sous les bistros et les brasseries, et les rats se demandaient souvent pourquoi les humains aimaient de temps en temps se déconnecter le cerveau. Pour les rats, vivre au centre d'un maelström de bruits, de lumières et d'odeurs n'avait aucun sens.

Noir-mat ne trouvait plus ça aussi bête, maintenant. L'idée qu'on puisse momentanément oublier le quotidien et ne plus avoir la tête bourdonnante de soucis… ma foi, ça paraissait séduisant.

Il ne se rappelait pas beaucoup sa vie d'avant le Changement, mais il était sûr qu'elle était moins compliquée. Oh, il avait connu des coups durs parce que la vie sur le dépotoir n'était pas de tout repos. Mais, une fois passés, ils retournaient au néant, et demain était un autre jour.

Les rats ne pensaient pas au lendemain. Ils sentaient confusément que d'autres événements allaient se produire.

Ce n'était pas de la réflexion. Et il n'existait ni « bon » ni « mauvais, ni « bien » ni « mal ». Tout ça, c'était des idées nouvelles.

Les idées ! Leur monde à présent ! De grandes questions et de grandes réponses. Sur la vie, sur la façon de la vivre, à quoi on servait. Les idées nouvelles se répandaient sous le crâne fatigué de Noir-mat.

Et parmi les idées, au milieu de son cerveau, il vit la petite silhouette de Pistou.

Noir-mat n'avait jamais beaucoup parlé au petit rat blanc ni à la petite femelle qui cavalait toujours à sa suite et dessinait les images de ce qu'il avait pensé. Noir-mat appréciait les individus dotés de sens pratique.

Mais il se disait à présent : C'est un dépiégeur ! Tout comme moi ! Il va en éclaireur, trouve les idées nouvelles, y réfléchit, les capture par des mots, les rend inoffensives et nous ouvre le chemin.

On a besoin de lui… on a besoin de lui maintenant. Sinon, on court tous comme des rats dans un tonneau…

Bien plus tard, quand Nutritionnelle serait vieille, grise autour du museau et qu'elle dégagerait une odeur un peu curieuse, elle dicterait le récit de l'escalade et raconterait qu'elle avait entendu Noir-mat marmonner tout seul. Le Noir-mat qu'elle avait sorti du piège, affirmerait-elle, était un rat différent. Comme si ses pensées s'étaient ralenties mais avaient pris de l'ampleur.

Le plus étrange, dirait-elle, c'était quand ils avaient atteint la poutre. Noir-mat s'était assuré que Pur-Porc allait bien puis avait ramassé l'allumette qu'il avait montrée à la rate. « Il l'a grattée sur un vieux bout de fer, raconterait-elle, puis il s'est avancé sur la poutre avec l'allumette allumée, et je voyais le monde en dessous, les râteliers de foin et la paille partout, et les hommes qui tournaient en rond comme... hah... comme des rats... et je me suis dit, si tu laisses tomber ça, mon vieux, l'écurie va se remplir de fumée, mais ils ont fermé la porte, alors, le temps qu'ils s'en aperçoivent, ils seront pris comme... hah... ouais, comme des rats dans un tonneau, et nous, nous serons loin dans les gouttières.

» Mais il est resté là, à regarder en dessous, jusqu'à ce que l'allumette s'éteigne. Alors il l'a reposée, nous a aidés à nous occuper de Pur-Porc et n'en a jamais reparlé. Je lui ai posé la question plus tard, après l'affaire du joueur de flûte et tout, et il m'a répondu : "Oui. Des rats dans un tonneau."

» Et il en est resté là. »

« Qu'est-ce que tu as réellement mis dans le sucre ? demanda Keith tandis qu'il se dirigeait devant Malicia vers la trappe secrète.

— Cascara, répondit la fille.

— Ce n'est pas du poison, dis ?

— Non, c'est un laxatif.

— C'est quoi, ça ?

— Ça fait... aller.

— Aller où ?

— Pas "où", crétin. Tu... vas. Je ne tiens pas vraiment à te faire un dessin.

— Oh. Tu veux dire... aller.

— Voilà.

— Et tu en avais justement sur toi ?

— Oui. Évidemment. C'était dans le grand sac de médicaments.

— Tu veux dire que tu emmènes un truc pareil uniquement pour des cas de ce genre ?

— Évidemment. Ça peut toujours servir.

— Comment ça ? lança Keith en grimpant à l'échelle.

— Ben, admettons qu'on nous enlève. Admettons qu'on se retrouve en mer. Admettons que des pirates nous capturent. Les pirates ont un régime très monotone, et c'est peut-être pour ça qu'ils sont toujours en colère. Ou alors admettons qu'on s'échappe, qu'on nage jusqu'à la côte et qu'on se retrouve sur une île où il n'y a que des noix de coco. La noix de coco, ça constipe drôlement.

— Oui, mais... mais... il peut se passer n'importe quoi ! Si tu continues, tu vas finir par emporter n'importe quoi des fois qu'il arriverait n'importe quoi !

— Voilà pourquoi c'est un grand sac », dit Malicia d'une voix sereine en se hissant par la trappe et en s'époussetant.

Keith soupira. « Combien tu leur en as donné ?

— Beaucoup. Mais ça devrait aller s'ils ne prennent pas trop d'antidote.

— Qu'est-ce que tu leur as donné comme antidote ?

— Cascara.

— Malicia, tu as un mauvais fond.

— Ah oui ? Toi, tu voulais les empoisonner avec le vrai poison et tu ne manquais pas d'imagination pour décrire leur ventre en train de se dissoudre.

— Oui, mais les rats sont mes amis. Certains poisons font vraiment cet effet-là. Et... comme qui dirait... donner en antidote une nouvelle dose de poison...

— Ce n'est pas du poison. C'est un médicament. Ils vont se sentir délicieusement nettoyés après ça.

— D'accord, d'accord. Mais... leur en donner aussi comme antidote, c'est plutôt... plutôt...

— Malin ? Satisfaisant sur le plan narratif ?

— Je suppose », reconnut Keith à contrecœur.

Malicia regarda autour d'elle. « Où est ton chat ? Je croyais qu'il nous suivait.

— Des fois, il va faire un tour. Et ce n'est pas mon chat.

— Oui, c'est toi qui es son garçon. Mais un jeune homme avec un chat malin peut faire son chemin, tu sais.

— Comment ça ?

— Il y a le Chat botté, bien sûr, répondit Malicia, et tout le monde connaît évidemment Dick Livingstone et son chat merveilleux, non ?

— Pas moi, fit Keith.

— C'est une histoire célèbre !

— Pardon. Je ne lis pas depuis très longtemps.

— Ah bon ? Ben, Dick Livingstone était un garçon sans le sou qui est devenu maire d'Übergargl parce que son chat était très fort pour attraper... euh... les pigeons. La ville était envahie de... pigeons, oui, et plus tard il a même épousé la fille d'un sultan parce que son chat a chassé tous les... pigeons du palais royal de son père...

— C'étaient des rats en réalité, non ? dit Keith d'une voix morne.

— Oui, pardon.

— Et ce n'est qu'une histoire. Écoute, est-ce qu'il existe vraiment des histoires sur les rois des rats ? Les rats ont des rois ? Je n'en ai jamais entendu parler. Comment ça marche ?

— Pas comme tu le penses. On connaît ça depuis des années. Ça existe vraiment, tu sais. Tout comme sur le panneau dehors.

— Quoi ? Les rats avec leurs queues nouées toutes ensemble ? Comment est-ce que... »

Il y eut des coups sonores et insistants à la porte. Certains donnaient l'impression d'avoir été frappés du pied.

Malicia s'approcha du battant et actionna les verrous. « Oui ? » lança-t-elle d'un ton glacial tandis que l'air de la nuit entrait à flots.

Un groupe d'hommes en colère se pressaient dehors. Le meneur, qui paraissait le meneur uniquement parce qu'il se tenait devant les autres, fit un pas en arrière en voyant Malicia.

« Oh... c'est vous, mademoiselle...

— Oui. Mon père est le maire, vous savez.

— Euh... oui. On le sait.

— Pourquoi vous avez tous des bâtons ?

— Euh... on veut parler aux chasseurs de rats », répondit le porte-parole. Il s'efforçait de regarder derrière la jeune fille qui s'écarta.

« Il n'y a que nous ici, dit-elle. Sauf si vous croyez qu'il y a une trappe qui donne sur un labyrinthe de caves souterraines où des animaux désespérés sont enfermés dans des cages et où de grosses réserves de provisions volées sont stockées. »

L'homme jeta un nouveau coup d'œil nerveux. « Vous et vos histoires, mademoiselle, dit-il.

— Des ennuis ? demanda Malicia.

— On croit qu'ils étaient un... un peu vilains... » répondit l'homme. Il blêmit sous le regard qu'elle lui lança.

« Oui ? fit-elle.

— Ils nous ont roulés à la fosse aux rats ! dit dans son dos un homme que la présence d'un collègue entre Malicia et lui enhardissait. Ils ont dû entraîner ces rats-là ! Y en a un qui volait au bout d'une ficelle !

— Et un autre a mordu mon Jacko aux… aux… aux ce que j'pense ! protesta encore quelqu'un plus loin. Me dites pas qu'on l'a pas entraîné pour faire ça !

— J'en ai vu un ce matin avec un chapeau, ajouta Malicia.

— Il y a eu beaucoup trop de rats bizarres aujourd'hui, dit un autre homme. Ma m'man en a vu un qui dansait sur les étagères de la cuisine, elle m'a dit ! Et quand mon grand-père s'est levé pour prendre son dentier, un rat s'en est servi pour le mordre, il m'a dit. L'a mordu avec ses propres dents !

— Comment ça ? Il avait le dentier dans la gueule ? demanda Malicia.

— Non, il l'a fait claquer en l'air ! Une dame dans notre rue aussi, en ouvrant son garde-manger, a vu des rats qui nageaient dans la jatte de crème. Ils faisaient pas que nager, d'ailleurs ! Ils étaient entraînés. Ils se déplaçaient suivant des espèces de motifs, ils plongeaient dessous et agitaient leurs pattes en l'air, des trucs comme ça !

— Vous voulez dire qu'ils faisaient de la natation synchronisée ? s'étonna Malicia. Qui raconte des histoires maintenant, hein ?

— Vous êtes sûre de pas savoir où sont ces hommes ? demanda le meneur d'un ton soupçonneux. On nous a dit qu'ils venaient par ici. »

Malicia roula des yeux.

« D'accord, oui, fit-elle. Ils sont venus ici, un chat parlant nous a aidés à leur donner du poison et ils sont maintenant enfermés dans une cave. »

Les hommes la regardèrent. « Ouais, c'est ça, dit le meneur en faisant demi-tour. Ben, si vous les voyez, prévenez-les qu'on les cherche, d'accord ? »

Malicia referma la porte. « C'est terrible de ne pas être crue, dit-elle.

— Maintenant parle-moi des rois des rats », demanda Keith.

Chapitre 10

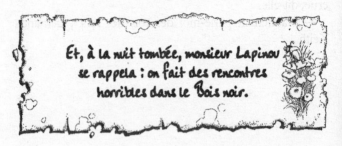

Et, à la nuit tombée, monsieur Lapinou
se rappela : on fait des rencontres
horribles dans le Bois noir.

L'Aventure de monsieur Lapinou.

Pourquoi est-ce que je fais ça ? se demanda Maurice tandis qu'il suivait une canalisation en se contorsionnant. Les chats ne sont pas bâtis pour un exercice pareil.

Parce que nous sommes au fond quelqu'un de gentil, dit sa conscience.

Non, pas moi, songea Maurice.

Exact, oui, dit sa conscience. Mais nous ne voulons pas le faire savoir à Pistou, hein ? Au petit museau tremblotant. Il nous prend pour un héros !

Eh bien, je n'en suis pas un.

Alors pourquoi est-ce que nous tâtonnons sous terre pour essayer de le retrouver ?

Eh bien, manifestement, parce que c'est lui qui caresse le grand rêve de découvrir l'île aux rats, que les rats ne coopéreront pas sans lui et que je ne serai pas payé.

Nous sommes un chat ! Pourquoi un chat aurait besoin d'argent ?

Parce que je pense à ma retraite, songea Maurice. J'ai déjà quatre ans ! Une fois que j'aurai fait ma pelote, je vais me trouver une bonne maison avec un grand feu et une brave vieille dame qui me donnera de la crème tous les jours. J'ai tout prévu jusqu'au moindre détail.

Pourquoi nous offrirait-elle sa maison ? Nous sentons mauvais, nous avons les oreilles en lambeaux, un vilain bobo qui démange à la patte, nous avons l'allure d'un chat qui a reçu un coup de pied en pleine figure... Pourquoi une vieille dame s'enticherait-elle de nous plutôt que d'un petit chaton soyeux ?

Aha ! Mais les chats noirs portent chance, songea Maurice.

Ah oui ? Eh bien, nous ne voudrions pas être le premier à nous annoncer la mauvaise nouvelle, mais nous ne sommes pas noir ! Nous sommes une espèce de chat tacheté sale !

Les teintures, ça n'est pas fait pour les chiens, songea Maurice. Deux sachets de teinture noire, je retiens mon souffle une minute, et à moi la crème et le poisson jusqu'à la fin de mes jours. Bon plan, hein ?

Et la chance ? fit la conscience.

Ah ! Toute l'astuce est là. Un chat noir qui apporte une pièce d'or à peu près tous les mois, tu ne crois pas que c'est un chat qu'il faut garder chez soi ?

Sa conscience garda le silence. Sans doute un plan aussi habile la laissait-il sans voix, se dit Maurice.

Il devait reconnaître qu'il s'y entendait mieux en élaboration de plans qu'en orientation souterraine. Il n'était pas exactement perdu parce que les chats ne se perdent jamais. Il ne se souvenait pas où se trouvait tout le reste, voilà tout. Il n'y avait pas beaucoup de terrain sous le village, c'était sûr. Caves, grilles, canalisations, anciens égouts, cryptes et restes de bâtiments oubliés formaient une espèce de nid d'abeille. Même les humains pouvaient s'y déplacer, songea Maurice. Les chasseurs de rats ne s'en étaient sûrement pas privés.

Il sentait les rats partout. Il s'était demandé s'il n'allait pas appeler Pistou, mais il avait renoncé. L'appeler permettrait sans doute de retrouver le petit rat mais renseignerait aussi… n'importe qui sur sa position à lui, Maurice. Les gros rats étaient… ben, gros, et ils avaient l'air mauvais. Même un imbécile de chien risquait de ne pas faire le poids devant eux.

Il se trouvait à présent dans un petit tunnel carré parcouru de tuyaux de plomb. On entendait même un sifflement de vapeur qui s'échappait, et de l'eau chaude gouttait ici et là dans un caniveau qui suivait le sol du tunnel. Au loin, une grille donnait sur la rue au-dessus. Une lumière faible en tombait.

L'eau du caniveau paraissait propre. Du moins, on voyait au travers. Maurice avait soif. Il se pencha, la langue sortie…

Un mince filet rouge luisant serpentait doucement dans l'eau…

Pur-Porc, l'air confus et à moitié endormi, restait cependant assez conscient pour s'accrocher à la queue de Sardines tandis que les rats s'en repartaient de l'écurie. Ils se déplaçaient lentement. Sardines ne croyait pas que le vieux rat réussirait à passer les cordes à linge. Ils suivirent furtivement des gouttières et des canalisations en ne se dissimulant que sous le voile de la nuit.

Quelques rats tournaient en rond dans la cave lorsqu'ils finirent par arriver. Noir-mat et Sardines marchaient de chaque côté de Pur-Porc qui remuait à peine les pattes.

Une bougie brûlait encore dans la cave. Noir-mat fut surpris. Mais beaucoup d'événements s'étaient produits au cours de la dernière heure.

Ils lâchèrent Pur-Porc qui s'affaissa par terre et resta étendu, le souffle court. Des tremblements le secouaient à chaque inspiration.

« Poison, patron ? souffla Sardines.

— Je crois que c'était trop pour lui, dit Noir-mat. C'était trop. »

Pur-Porc ouvrit un œil. « Je… suis… toujours… le… chef ? demanda-t-il.

— Oui, chef, répondit Noir-mat.

— Besoin… de… dormir… »

Noir-mat fit du regard le tour du cercle. Des rats s'approchaient sans bruit du groupe. Il les voyait chuchoter entre eux. Ils ne le quittaient pas des yeux. Il chercha autour de lui, s'efforça de repérer la silhouette pâle de Pistou.

« Nutritionnelle… m'a dit… que tu as vu le… tunnel… du… Grand Rat », dit Pur-Porc.

Noir-mat foudroya des yeux la jeune rate qui parut gênée. « J'ai vu… quelque chose, répondit-il.

— Alors je vais me laisser emporter par le rêve et… ne jamais me réveiller », dit Pur-Porc. Sa tête s'affaissa encore. « Ce n'est pas… comme ça qu'un… qu'un vieux rat devrait mourir, marmonna-t-il. Pas de cette façon. Pas… à la lumière. »

Noir-mat adressa aussitôt un signe de tête à Sardines qui moucha la bougie avec son chapeau. Les ténèbres souterraines, épaisses et humides, se refermèrent sur eux.

« Noir-mat, chuchota Pur-Porc, il faut que tu saches… »

Sardines tendit l'oreille afin de surprendre les dernières paroles du vieux chef à Noir-mat. Puis, quelques secondes plus tard, il frissonna. Il sentait l'odeur du changement qui s'était opéré dans le monde.

Un mouvement dans le noir. Une allumette prit feu, la flamme de la bougie grandit à nouveau et ramena les ombres dans le monde. Pur-Porc gisait, immobile.

« Est-ce qu'il faut le manger maintenant ? demanda quelqu'un.

— Il est… parti », dit Noir-mat. D'une certaine façon, l'idée de manger Pur-Porc ne lui semblait pas digne. « Enterrez-le. Et marquez l'emplacement pour qu'on sache qu'il est là. »

On sentit un soulagement dans le groupe. Malgré tout le respect qu'avait inspiré Pur-Porc, il dégageait une odeur un peu forte, même pour un rat.

Un rongeur au premier rang de l'attroupement paraissait hésiter. « Euh… quand vous parlez de marquer l'emplacement, fit-il, est-ce que ça revient à le marquer comme les autres où on enterre des trucs ?

— Il veut dire en pissant dessus », traduisit un voisin.

Noir-mat regarda Sardines qui haussa les épaules. Il eut un serrement de cœur. Quand on était le chef, tout le monde attendait qu'on prenne une décision. Et il n'y avait toujours aucune trace du rat blanc.

Il était tout seul.

Il réfléchit sérieusement un moment puis hocha la tête. « Oui, dit-il enfin. Il aimerait ça. C'est très… rat. Mais faites aussi autre chose. Vous allez inscrire ça au-dessus de lui. »

Il gratta un dessin par terre :

« "C'était un rat d'une longue lignée de rats et il pensait aux rats", lut Sardines. Bravo, patron.

— Est-ce qu'il va revenir comme est revenu Noir-mat ? demanda quelqu'un d'autre.

— Dans ce cas-là, il sera vraiment dingue si jamais on l'a mangé », lança une voix. Des rires nerveux fusèrent.

« Écoutez, je n'ai pas… commença Noir-mat, mais Sardines lui donna un coup de patte.

— Un petit mot dans le creux de l'oreille, patron ? dit-il en soulevant poliment son chapeau carbonisé.

— Oui, oui... » Noir-mat commençait à s'inquiéter. Il n'avait jamais été observé de si près par autant de rats. Il suivit Sardines à l'écart du groupe.

« Vous savez que je traînais souvent au théâtre et tout, lui dit Sardines. Et on apprend beaucoup au théâtre. Et le truc... Écoutez, ce que je veux dire, c'est que vous êtes le chef, d'accord ? Alors vous devez donner l'impression que vous savez ce que vous faites, d'accord ? Si le chef ne sait pas ce qu'il fait, personne ne le saura.

— Je sais ce que je fais uniquement quand je démonte des pièges, dit Noir-mat.

— D'accord, pensez à l'avenir comme à un grand piège. Sans fromage.

— Ça ne m'aide pas beaucoup !

— Et il faut les laisser croire ce qu'ils veulent de vous et... de cette cicatrice sur votre ventre, dit Sardines. C'est mon conseil, patron.

— Mais je ne suis pas mort, Sardines !

— Il s'est passé quelque chose, non ? Vous alliez mettre le feu au bâtiment. Je vous observais. Il vous est arrivé quelque chose dans le piège. Ne me demandez pas ce que c'était, je ne fais que danser les claquettes, moi. Je ne suis qu'un petit rat. Je le resterai toujours, patron. Mais il y a de gros rats comme Saumure, Date-limite et des tas d'autres, patron, et maintenant que Pur-Porc est mort, ils risquent de se dire que ce sont eux qui devraient être le chef. Vous me suivez ?

— Non. »

Sardines soupira. « Je pense que si, patron. Est-ce qu'on a envie de voir s'installer la pagaïe chez nous en ce moment ?

— Non !

— Voilà ! Ben, grâce à la petite pipelette Nutritionnelle, vous êtes celui qui a regardé le rat squelette en face et en est revenu, non… ?

— Oui, mais elle…

— Moi j'ai l'impression, patron, que le rat capable de faire baisser les yeux au rat squelette… ben, personne ne tient à lui chercher des noises, pas vrai ? Un rat qui porte les marques de dents du rat squelette en guise de ceinture ? Uh-uh, non. Les rats suivent un rat pareil. Dans les circonstances actuelles, les rats ont besoin de suivre quelqu'un. C'est bien, ce que vous avez fait tout à l'heure avec le vieux Pur-Porc. L'enterrer, pisser par-dessus et laisser une marque… ben, les vieux rats aiment ça et les jeunes aussi. Ça leur montre que vous pensez à tout le monde. » Sardines pencha la tête de côté et se fendit d'un sourire inquiet.

« Je vois qu'il va falloir que je te surveille, Sardines, dit Noir-mat. Tu raisonnes comme Maurice.

— Ne vous tourmentez pas pour moi, patron. Je suis petit. Moi, je danse. Je ne vaudrais rien comme chef. »

Penser à tout le monde, songea Noir-mat. Le rat blanc… « Où est Pistou ? demanda-t-il en cherchant autour de lui. Il n'est pas là ?

— Pas vu, patron.

— Quoi ? On a besoin de lui ! Il a la carte dans la tête.

— La carte, patron ? » Sardines avait l'air soucieux. « Je croyais qu'on dessinait les cartes par terre…

— Pas une carte comme un dessin de tunnels et de pièges ! Une carte de… de ce qu'on est et où on va…

— Oh, comme l'île merveilleuse, vous voulez dire ? Jamais beaucoup cru à ça, patron.

— Je ne sais rien de ces histoires d'île, oh non. Mais quand j'étais… là-bas, j'ai… vu l'esquisse d'une idée. Les humains et les rats sont en guerre depuis toujours. Il faut en finir. Et ici, maintenant, dans ce village, avec ces rats… je vois la chose possible. C'est peut-être la première fois et le premier village où c'est possible. Je vois l'esquisse d'une idée dans ma tête mais je ne trouve pas les mots pour l'exprimer, tu comprends ? On a donc besoin du rat blanc parce qu'il connaît la carte de la pensée. On doit trouver comment s'en sortir. Courir de tous côtés en couinant, ça ne marche plus !

— Jusqu'ici vous vous en tirez bien, patron, dit le danseur en tapotant l'épaule de son chef.

— Tout va de travers. » Noir-mat s'efforçait de parler tout bas. « On a besoin de lui ! J'ai besoin de lui !

— Je vais réunir des équipes, patron, si vous me montrez où il faut chercher, proposa humblement Sardines.

— Dans les canalisations, pas loin des cages. Maurice était avec lui, ajouta Noir-mat.

— C'est une bonne ou une mauvaise chose, patron ? demanda Sardines. Vous savez ce que disait souvent Pur-Porc : "On peut toujours faire confiance à un chat…

— … pour être un chat." Oui. Je sais. J'aimerais connaître la réponse, Sardines. »

Le petit rat s'approcha. « Je peux poser une question, patron ?

— Évidemment.

— Qu'est-ce que Pur-Porc vous a chuchoté juste avant de mourir ? Des conseils spéciaux de chef, c'est ça ?

— De bons conseils, répondit Noir-mat. De bons conseils. »

Maurice cligna des yeux. Tout doucement, sa langue se rétracta dans sa gueule. Il aplatit les oreilles et, déroulant les pattes au ralenti, sans un bruit, il suivit la rigole dans le tunnel.

Juste en dessous de la grille il y avait une tache pâle. Le filet rouge venait de plus loin en amont et se partageait en deux pour contourner l'obstacle avant de se réunir à nouveau en une traînée tourbillonnante.

Maurice atteignit l'objet. Il s'agissait d'un bout de papier roulé, imbibé d'eau et maculé de rouge. Il sortit une griffe et le repêcha. Le papier tomba pesamment à côté de la rigole. Quand Maurice le déplia délicatement, il vit les dessins salis tracés à gros coups de crayon. Il savait ce qu'ils représentaient. Il avait appris à les lire un jour qu'il n'avait rien de mieux à faire. C'était d'une simplicité enfantine.

« Un rat ne doit pas… » commença-t-il. Ensuite ce n'était qu'un barbouillis mouillé jusqu'au dessin qui disait : « Nous ne sommes pas comme les autres rats. »

« Oh, non », fit-il. Ils n'auraient pas abandonné ça tout de même ? Pêches le gardait avec elle comme une chose extrêmement précieuse…

Tu veux que je les trouve le premier ? demanda une voix étrangère dans la tête de Maurice. *Ou peut-être que je…*

Maurice prit ses pattes à son cou et dérapa sur la pierre gluante du tunnel qui tournait à angle droit.

*Ils sont vraiment étranges, le **chat**. Des rats qui s'imaginent différents des rats. Est-ce que je vais faire comme toi ? Est-ce que je vais me conduire comme un **chat** ? Est-ce que je vais en garder un en vie ? **Pendant un petit moment ?***

Maurice miaula tout bas. D'autres tunnels plus étroits s'embranchaient de chaque côté, mais la mince traînée rouge continuait tout droit, et, un peu plus loin, dans l'eau, sous une autre grille, il vit ce dont sourdait lentement le filet carmin.

Maurice s'affaissa. Il s'attendait à… à quoi ? Mais ça… c'était… c'était pire, d'une certaine façon. Pire que tout.

Gorgé d'eau, perdant l'encre rouge du gilet écarlate de Rupert Ratichon, gisait *L'Aventure de monsieur Lapinou*.

Maurice le repêcha du bout d'une griffe, et les pages de papier bon marché se détachèrent une à une avant de dériver au fil de l'eau. Ils avaient perdu le livre. Est-ce qu'ils fuyaient ? Ou… l'avaient-ils jeté ? Qu'est-ce qu'avait dit Pistou ? On n'est que des rats ? Et il l'avait dit d'une voix tellement triste, caverneuse…

*Où sont-ils maintenant, le **chat** ? Est-ce que tu peux les retrouver ? De quel côté chercher maintenant ?*

Il voit ce que je vois, se dit Maurice. Il ne lit pas dans mes pensées mais il voit ce que je vois, entend ce que j'entends, et il est très fort pour deviner ce que je dois penser…

Une fois de plus, il ferma les yeux.

*Dans le noir, le **chat** ? Comment vas-tu te battre contre mes rats ? Ceux **derrière toi** ?*

Maurice se retourna d'un bloc, les yeux écarquillés. Il vit des rats, des douzaines de rats, certains moitié gros comme lui. Ils l'observaient tous du même regard inexpressif.

*Bravo, bravo, le **chat** ! Tu vois les bêtes couinantes et tu ne leur sautes pourtant pas dessus ! Comment un chat a-t-il appris à cesser d'être un chat ?*

Les rongeurs, comme un seul rat, s'avancèrent. Ils bruissaient en se déplaçant. Maurice fit un pas en arrière.

*Imagine ça, le **chat**,* reprit la voix d'Araignée. *Imagine un million de rats intelligents. Des rats qui ne fuient pas. Des rats qui se battent. Des rats qui partagent un seul et même esprit, une seule et même vision. **Les miens**.*

« Où tu es ? » demanda Maurice à voix haute.

Tu me verras bientôt. Avance encore, le minou. Il faut aller plus loin. Un mot de moi, encore une amorce de pensée, et les rats que tu vois te démolissent. Oh, tu pourrais en tuer un ou deux, mais il y en aura toujours davantage. Toujours davantage.

Maurice se retourna et s'en repartit tout doucement. Les rats le suivirent. Il pivota. Ils s'arrêtèrent. Il reprit sa route, fit deux pas, regarda derrière lui. Les rats le suivaient comme au bout d'une ficelle.

Il flottait des relents familiers de vieille eau croupie. Il se trouvait quelque part à proximité de la cave inondée. Mais à quelle distance exactement ? L'odeur empestait davantage qu'une boîte de pâtée pour chat. Elle pouvait venir de n'importe où. Il gagnerait sans doute du terrain sur les rongeurs sur une courte distance. Avoir des rats assoiffés de sang à ses trousses donne des ailes.

Est-ce que tu comptes courir pour aller aider le rat blanc ? demanda sa conscience. Ou est-ce que tu songes à détaler vers la lumière du jour ?

Maurice devait reconnaître que jamais la lumière du jour ne lui avait paru aussi tentante. Inutile de se mentir. Après tout, les rats ne vivent pas très longtemps, de toute façon, même ceux qui tremblotent du museau…

*Ils sont tout près, le **chat**. Est-ce que nous allons jouer ? Les chats aiment bien **jouer**. As-tu joué avec Additifs ? **Avant que tu lui arraches la tête d'un coup de dents ?***

Maurice s'arrêta net. « Tu vas mourir », dit-il doucement.

Ils se rapprochent de moi, Maurice. Ils sont tout près maintenant. Faut-il que je te dise que le gamin à l'air bête et la fille aux histoires idiotes vont mourir ? Sais-tu que les rats peuvent dévorer un humain vivant ?

Malicia ferma au verrou la porte de la cabane.

« Les rois des rats sont très mystérieux, dit-elle. Un roi des rats, c'est un groupe de rats aux queues attachées ensemble...

— Comment ça ?

— Ben, les histoires racontent que ça arrive... comme ça.

— Comment ça arrive ?

— J'ai lu quelque part que leurs queues se collent ensemble quand ils sont dans le nid à cause de toutes les cochonneries, et elles s'emmêlent quand...

— Les rats ont le plus souvent six ou sept petits avec des queues assez courtes, et les parents nettoient les nids, dit Keith. Est-ce que ceux qui racontent ces histoires ont déjà vu des rats ?

— Je ne sais pas. Peut-être qu'ils se serrent les uns contre les autres et que leurs queues s'emmêlent. Il y a un roi des rats conservé dans un grand bocal d'alcool au musée du village.

— Mort ?

— Ou ivre mort. Qu'est-ce que tu crois ? Il est formé de dix rats, comme une espèce d'étoile, avec un gros nœud de queues au milieu. Et on en a trouvé des tas d'autres. Il y en

avait un de trente-deux rats ! Tout un folklore est né autour
d'eux.

— Mais le chasseur a dit qu'il en avait créé un, objecta
Keith d'un ton ferme. Il l'a fait pour entrer à la Guilde,
d'après lui. Tu sais ce que c'est, un chef-d'œuvre ?

— Évidemment. C'est ce qui est vraiment excellent…

— Un vrai chef-d'œuvre, je veux dire. J'ai grandi dans
une grosse ville avec des guildes partout. C'est comme ça
que je suis au courant. Un chef-d'œuvre, c'est ce que réa-
lise un apprenti à la fin de son apprentissage pour montrer
aux membres éminents de la guilde qu'il mérite de passer
"maître". Membre à part entière. Tu comprends ? Ça peut
être une grande symphonie, une belle sculpture ou une
fournée de pains exceptionnels… une œuvre capitale,
l'"œuvre d'un chef" comme qui dirait.

— Très intéressant. Et alors ?

— Alors quelle sorte de chef-d'œuvre doit-on réaliser
pour devenir un maître chasseur de rats ? Pour montrer
qu'on a vraiment une emprise sur les rats ? Tu te souviens
de l'enseigne au-dessus de la porte ? »

Malicia se renfrogna à la façon de qui se voit objecter un
fait embarrassant. « N'importe qui peut attacher ensemble
des queues de rats s'il en a envie, répliqua-t-elle. Je suis
sûre que je pourrais, moi.

— Avec des rats vivants ? Tu dois d'abord les prendre au
piège, ensuite tu te débats avec des espèces de bouts de
ficelle glissants qui gigotent sans arrêt pendant que l'autre
extrémité des bestioles continue de te mordre ! Huit rats ?
Vingt ? Trente-deux ? Trente-deux rats enragés ? »

Malicia regarda autour d'elle la cabane en désordre. « Ça
marche, dit-elle. Oui. Ça fait une histoire presque aussi

valable. Il y a sans doute eu un ou deux vrais rois des rats…
d'accord, d'accord, peut-être juste un… des gens en ont
entendu parler et se sont dit, comme on s'y intéressait tellement, qu'ils allaient essayer d'en créer un. Oui. C'est
comme les cercles dans les cultures. Peu importe le nombre
d'extradisquemondiaux qui avouent en être les auteurs, il y
a toujours quelques réactionnaires pour croire que des
humains sortent au milieu de la nuit avec des rouleaux de
jardin…

— Je crois que certains aiment la cruauté, dit Keith.
Comment un roi des rats se débrouille-t-il pour chasser ?
Ils doivent tous tirer à hue et à dia.

— Ah, ben, certaines histoires de rois des rats racontent
qu'ils peuvent diriger les autres rats. Avec leur esprit, quoi.
Ils les obligent à leur apporter à manger, à se déplacer où ils
veulent et ainsi de suite. Tu as raison, les rois des rats ne
peuvent pas se déplacer facilement. Alors, ils… apprennent
à voir par les yeux des autres rats et à entendre ce qu'ils
entendent.

— Ils font ça seulement aux autres rats ? demanda Keith.

— Ben, une ou deux histoires prétendent qu'ils peuvent
le faire aux gens, répondit Malicia.

— Comment ça ? C'est déjà arrivé dans la réalité ?

— Impossible, hein ? »

Oui.

« Oui, quoi ? fit Malicia.

— Je n'ai rien dit. C'est toi qui viens de dire "oui" »,
répliqua Keith.

*Ridicules petits esprits. Tôt ou tard on trouve toujours
moyen d'y entrer. Le chat résiste beaucoup mieux ! Vous allez
m'obéir. Laissez partir les **rats**.*

« Je crois qu'on devrait laisser partir les rats, dit Malicia. C'est trop cruel de les entasser dans des cages comme ça.

— C'est exactement ce que je pensais », fit Keith.

Et oubliez-moi. Je ne suis qu'une légende.

« Personnellement, je crois que les rois des rats ne sont qu'une légende, dit Malicia qui s'approcha de la trappe et l'ouvrit. Le chasseur n'était qu'un petit imbécile. Il bredouillait n'importe quoi.

— Je me demande s'il faut vraiment qu'on laisse partir les rats, fit Keith d'un air songeur. Ils avaient l'air drôlement affamés.

— Ils ne peuvent pas être pires que les chasseurs, tout de même ? De toute manière, le joueur de flûte sera bientôt là. Il va tous les entraîner dans la rivière, un truc comme ça…

— Dans la rivière… marmonna Keith.

— C'est ce qu'il fait, oui. Tout le monde sait ça.

— Mais les rats savent… » commença Keith.

*Obéis-moi ! Ne **pense** pas ! Suis l'histoire !*

« Les rats savent quoi ?

— Les rats savent… Les rats savent… bégaya Keith. Je ne me souviens pas. Un truc sur les rats et les rivières. Sûrement sans importance. »

Des ténèbres épaisses, absolues. Et, quelque part dans ces ténèbres, une petite voix.

« J'ai laissé tomber *Monsieur Lapinou*, dit Pêches.

— Tant mieux, répliqua Pistou. Ce n'était qu'un mensonge. Les mensonges nous affaiblissent.

— D'après toi, c'était important !

— C'était un mensonge ! »

... des ténèbres infinies, dégoulinantes...

« Et... j'ai aussi perdu les Règles...

— Et alors ? » La voix de Pistou était amère. « Tout le monde s'en fichait.

— Ce n'est pas vrai ! Tout le monde essayait de les suivre. La plupart du temps. Et ils s'en voulaient quand ils ne les suivaient pas !

— Ça aussi, ce n'était que des histoires. Des histoires idiotes de rats qui se prennent pour autre chose que des rats.

— Pourquoi tu parles comme ça ? Ça ne te ressemble pas !

— Tu les as vus courir. Ils cavalaient, ils couinaient et ne savaient plus parler. Au fond de nous, on n'est que... des rats. »

... des ténèbres immondes, puantes...

« Oui, c'est vrai, reconnut Pêches. Mais qu'est-ce qu'on est en surface ? C'est ce que tu disais toujours. Allez... s'il te plaît ? On fait demi-tour. Tu n'es pas bien.

— Tout était si évident... marmonna Pistou.

— Allonge-toi. Tu es fatigué. Il me reste quelques allumettes. Tu sais que tu te sens toujours mieux quand tu vois une lumière... »

Profondément inquiète, se sentant perdue et loin de chez elle, Pêches trouva un mur assez rugueux et sortit une allumette de son sac rudimentaire. Le bouton rouge s'embrasa et crépita. Elle leva l'allumette aussi haut qu'elle put.

Il y avait des yeux partout.

Quel est le pire ? se demanda-t-elle, pétrifiée de peur. De voir les yeux ? Ou de savoir qu'ils seront toujours là quand

la lumière va s'éteindre ? « Et je n'ai plus que deux allumettes… » marmonna-t-elle tout bas.

Les yeux s'enfoncèrent sans bruit dans l'obscurité.
Comment des rats peuvent-ils rester aussi immobiles et
silencieux ? songea-t-elle.

« Quelque chose ne cadre pas, dit Pistou.

— Oui.

— Il y a ici… je ne sais quoi. Je l'ai senti sur le *quiqui*
qu'ils ont trouvé dans le piège. C'est une espèce de terreur.
Je la sens sur toi.

— Oui.

— Est-ce que tu vois ce qu'on doit faire ? demanda Pistou.

— Oui. » Les yeux devant Pêches n'étaient plus là, mais
elle les distinguait toujours de chaque côté.

« Qu'est-ce qu'on peut faire ? » demanda Pistou.

Pêches déglutit. « On pourrait souhaiter avoir davantage
d'allumettes », répondit-elle.

Et, dans l'obscurité sous leur crâne, une voix dit :
Comme ça, dans votre désespoir, vous venez enfin à moi…

La lumière a une odeur.

Dans les caves humides et froides, la puanteur âcre du
soufre de l'allumette planait comme un oiseau jaune, montait avec les courants ascendants, plongeait par des fissures.
C'était une odeur propre et piquante, et elle tranchait
comme un couteau dans les relents douceâtres souterrains.

Elle emplit les narines de Sardines qui tourna la tête.
« Allumette, patron ! lança-t-il.

— On va par là ! ordonna Noir-mat.

— Faut passer par la salle des cages, patron, prévint Sardines.

— Et alors ?

— Vous vous souvenez de ce qui est arrivé la dernière fois, patron ? »

Noir-mat se tourna vers sa brigade. Il aurait pu rêver mieux. Des rats continuaient de sortir de leurs cachettes pour le suivre en traînant la patte, et certains – des rats de valeur, raisonnables – s'étaient précipités dans des pièges et sur du poison sous le coup de la panique. Mais il avait récupéré les meilleurs possibles. Parmi eux, quelques-uns des plus âgés et expérimentés, comme Saumure et Sardines. Mais la plupart étaient jeunes. Ce n'était peut-être pas une mauvaise chose, se dit-il. C'étaient les vieux rats qui avaient paniqué le plus. Ils étaient moins habitués à réfléchir.

« D'accord, dit-il. Bon, on ne sait pas ce qu'on va… » Il aperçut Sardines. Le rat secouait légèrement la tête.

Ah oui, les chefs se devaient de savoir.

Il observa les têtes inquiètes des jeunes et prit une inspiration profonde. « Il y a quelque chose de nouveau ici, reprit-il, et soudain il sut quoi dire. Quelque chose que nul n'a encore jamais vu. Quelque chose de solide. Quelque chose de fort. » La brigade se recroquevillait doucement, sauf Nutritionnelle qui fixait Noir-mat de ses yeux brillants.

« Quelque chose de redoutable. Quelque chose de nouveau. Quelque chose de soudain, poursuivit Noir-mat en se penchant. Et c'est vous. Vous tous. Des rats avec des cerveaux. Des rats qui pensent. Des rats qui ne font pas demi-tour pour prendre la fuite. Des rats qui n'ont pas peur des ténèbres, du feu, du bruit, des pièges ni des poisons. Rien ne peut arrêter des rats tels que vous, d'accord ? »

Les mots se bousculaient maintenant en lui. « Vous avez entendu parler du Bois noir dans le livre. Eh bien, on est dans le Bois noir maintenant. Il y a autre chose là-bas. Quelque chose d'horrible. Qui se cache derrière votre peur. Qui croit pouvoir vous arrêter et qui se trompe. On va le trouver, le sortir de son repaire et lui faire regretter qu'on soit nés ! Et si on meurt... eh bien... (il les vit, comme un seul rat, regarder fixement la blessure livide qui lui barrait le ventre) la mort n'est pas si terrible. Vous voulez que je vous parle du rat squelette ? Il attend ceux qui rompent les rangs et prennent la fuite, qui se cachent, qui faiblissent. Mais si vous le regardez droit dans les yeux, il vous fait un signe de tête et s'éloigne de vous. »

Noir-mat sentait à présent leur exaltation. Dans le monde sous leur crâne, ils étaient les rats les plus braves ayant jamais vécu. Il devait maintenant empêcher cette idée de leur sortir de la tête.

Sans réfléchir, il toucha sa blessure. Elle guérissait mal, elle suintait toujours et il allait en garder éternellement la cicatrice. Il remonta la patte, rouge de son sang, et l'idée jaillit d'un coup au fond de lui.

Il passa devant la rangée de rats et les toucha un à un juste au-dessus des yeux en leur laissant une marque rouge. « Et après, reprit-il doucement, on dira : "Ils y sont allés, ils l'ont fait et ils sont revenus du Bois noir, voilà comment ils se reconnaissent entre eux." »

Il jeta par-delà leurs têtes un regard à Sardines qui lui tira son chapeau. Ce qui rompit le charme. Les rats se remirent à respirer. Mais il subsistait un soupçon de la magie qu'on devinait à une lueur dans un œil et à une contraction de queue.

« Prêt à mourir pour le clan, Sardines ? cria Noir-mat.

— Non, patron ! Prêt à tuer !

— Bien. Allons-y. On raffole du Bois noir ! Il est à nous ! »

L'odeur de la lumière parcourut les tunnels et croisa Maurice qui la flaira. Pêches ! Elle était dingue de lumière. C'était à peu près tout ce que distinguait Pistou. Elle ne se déplaçait jamais sans quelques allumettes. Dingue ! Des animaux vivant dans l'obscurité qui se promenaient avec des allumettes ! Enfin, pas franchement dingue à bien y réfléchir, mais tout de même...

Les rats derrière lui le poussaient dans cette direction. On joue avec moi, se dit-il. Je suis projeté de patte en patte, comme ça Araignée m'entend crier.

Il perçut dans sa tête la voix d'Araignée. *Ainsi, dans votre désespoir, vous venez enfin à moi...*

Et perçut avec ses oreilles la voix de Pistou affaiblie par la distance : « Qui es-tu ? »

Je suis le Grand Rat qui vit sous terre.

« C'est vrai ? Ah bon. J'ai... beaucoup pensé à toi. »

Maurice vit un trou dans le mur et, de l'autre côté, l'éclat d'une flamme d'allumette. Sentant la multitude de rats derrière lui, il se faufila par l'ouverture.

Il y avait de gros rats dans tous les coins, par terre, sur des caisses, accrochés aux murs. Et, au centre, le cercle de lumière d'une allumette à demi consumée que tenait en l'air une Pêches tremblante. Pistou, légèrement devant elle, la tête levée, fixait une pile de caisses et de sacs.

Pêches se retourna brusquement. La flamme de l'allumette grandit et brûla plus fort. Les rats les plus proches s'écartèrent dans un sursaut et leurs rangs ondulèrent comme une vague.

« Maurice ? » fit-elle.

Le chat ne bougera pas, dit la voix d'Araignée.

Maurice essaya, mais ses pattes refusèrent de lui obéir.

Ne bouge pas, le **chat**. *Ou j'ordonne à tes poumons de ne plus respirer. Vous voyez, les petits rats ? Même un chat m'obéit.*

« Oui, je vois que vous détenez un pouvoir », reconnut Pistou, minuscule dans le rond de lumière.

Tu es un rat malin. Je t'ai entendu parler aux autres. Tu comprends la vérité. Tu sais qu'en affrontant les ténèbres on devient fort. Tu connais les ténèbres qui sont devant nous et celles derrière nos yeux. Tu sais qu'il faut coopérer, sinon c'est la mort. Vas-tu… coopérer ?

« Coopérer », fit Maurice. Son museau se plissa. « Comme les autres rats que je sens ici ? Je les sens… forts et bêtes. »

Mais les forts survivent, répliqua la voix d'Araignée. *Ils évitent les chasseurs et s'évadent en rongeant leurs cages. Et, comme toi, ils viennent à moi. Quant à leurs esprits… je pense pour tout le monde.*

« Moi, hélas, je ne suis pas fort », dit prudemment Pistou.

Tu as un esprit intéressant. Toi aussi, tu espères la domination des rats.

« La domination ? fit Pistou. Ah bon ? »

Tu auras compris qu'il existe une espèce dans ce monde qui vole, tue, répand la maladie et dévaste ce qui ne lui sert pas, dit la voix d'Araignée.

« Oui, fit Pistou. C'est facile. Elle s'appelle l'humanité. »

Bravo. Tu vois mes beaux rats ? Dans quelques heures, leur ridicule joueur de flûte va venir souffler dans son ridicule pipeau et, oui, mes rats s'en iront de la ville en trottinant derrière lui. Sais-tu comment un joueur de flûte tue les rats ?

« Non. »

Il les conduit à la rivière où… tu m'écoutes ?… où ils se noient tous !

« Mais les rats sont de bons nageurs », dit Pistou.

*Oui ! Ne fais jamais confiance à un chasseur de rats ! Ils se gardent du travail pour le lendemain. Mais les humains aiment croire aux histoires ! Ils préfèrent croire les histoires que la vérité ! Mais nous, nous sommes des **rats** ! Et mes rats nageront, crois-moi. De gros rats, des rats différents, des rats qui survivent, des rats qui ont en eux un peu de mon esprit. Ils vont se répandre de ville en ville et il s'ensuivra des destructions que les humains ne peuvent pas imaginer ! Nous leur ferons payer par mille chacun de leurs pièges ! Ils ont torturé, empoisonné et tué, et je n'aspire plus qu'à la **vengeance**.*

« Vous n'aspirez plus qu'à ça. Oui, je crois que je commence à comprendre », dit Pistou.

Il y eut un crépitement et un embrasement soudain derrière lui. Pêches avait allumé la deuxième allumette à la flamme mourante et tremblotante de la première. Le cercle de rats, qui s'était discrètement resserré, tangua une nouvelle fois en arrière.

Encore deux allumettes, dit Araignée. *Ensuite, d'une façon ou d'une autre, petit rat, tu m'appartiendras.*

« Je veux voir à qui je parle », déclara Pistou d'un ton ferme.

Tu es aveugle, petit rat blanc. Par tes yeux roses, je ne vois que du brouillard.

« Ils voient davantage que vous ne pensez, dit Pistou. Et si vous êtes, comme vous le prétendez, le Grand Rat… montrez-vous donc. Sentir, c'est croire. »

On entendit des tâtonnements et Araignée sortit de l'obscurité.

Maurice eut l'impression de voir un paquet de rats qui trottinaient sur les caisses, mais en bloc, comme si une seule volonté animait la totalité des pattes. Alors qu'ils entraient dans la lumière, il vit par-dessus le haut d'un sac que les queues étaient entortillées ensemble en un gros nœud affreux. Et chacun des rats était aveugle. Tandis que la voix d'Araignée lui tonnait dans la tête, les huit rats se cabrèrent et tirèrent sur le nœud.

Dis-moi donc la vérité, rat blanc. Est-ce que tu me vois ? Approche-toi ! Oui, tu me vois dans ton brouillard. Tu me vois. Les hommes m'ont créé pour s'amuser ! Attachez les queues des rats ensemble et regardez-les se débattre ! Mais je ne me suis pas débattu. Ensemble nous sommes forts ! Un seul esprit a la force d'un esprit, deux esprits celle de deux esprits, mais trois en valent quatre, quatre en valent huit et huit… n'en font qu'un, un esprit plus puissant que huit. Mon heure est proche. Les hommes imbéciles organisent des combats de rats et permettent aux plus forts de survivre, puis les plus forts se battent et les plus forts des plus forts survivent… Bientôt les cages vont s'ouvrir, et les hommes apprendront le sens du mot « peste » ! Tu vois le crétin de chat ? Il veut bondir, mais je le retiens très facilement. Aucun esprit ne me résiste. Mais toi… tu es intéressant.

Tu as un esprit comme le mien, qui pense pour beaucoup de rats, non pour un seul. Nous voulons les mêmes choses. Nous avons des projets. Nous voulons le triomphe des rats. Rejoins-nous. Ensemble nous serons… **forts**.

Suivit une longue pause. Trop longue, se dit Maurice. Puis :

« Oui, ton offre est… alléchante », dit Pistou.

Pêches en eut le souffle coupé, mais Pistou poursuivit d'une petite voix : « Le monde est grand et dangereux, c'est sûr. Nous, nous sommes faibles, et je suis fatigué. Ensemble nous pouvons être forts. »

Exactement !

« Mais que deviennent ceux qui ne sont pas forts, s'il te plaît ? »

Les faibles se mangent. Il en a toujours été ainsi !

« Ah, dit Pistou. Il en a toujours été ainsi. Tout devient plus clair.

— Ne l'écoute pas ! souffla Pêches. Il influence ton esprit !

— Non, ma tête fonctionne parfaitement, merci, répliqua Pistou de la même voix calme. Oui, la proposition est séduisante. Et on dirigerait le monde des rats ensemble, c'est ça ? »

En… coopération.

Et Maurice, en coulisses, se dit : Ouais, c'est ça. Toi, tu coopères et, eux, ils dirigent. Tu ne vas quand même pas te laisser prendre à ça !

Mais Pistou répondit : « Coopération. Oui. Et ensemble on pourrait livrer aux humains une guerre inimaginable. Tentant. Très tentant. Évidemment, des millions de rats **mourraient**… »

Ils meurent de toute façon.

« Mmm, oui. Oui. Oui, c'est vrai. Et cette rate, là, reprit Pistou en agitant soudain une patte en direction d'un des gros rats qu'hypnotisait la flamme, peux-tu me dire ce qu'elle en pense ? »

Araignée parut soudain décontenancé. *Ce qu'en pense cette bête ? Pourquoi en penserait-elle quelque chose ? Ce n'est qu'un rat !*

« Ah, fit Pistou. C'est très clair à présent. Mais ça ne marcherait pas. »

Ça ne marcherait pas ?

Pistou redressa la tête.

« Parce que, vois-tu, tu penses à la place de beaucoup de rats, c'est tout, dit-il. Mais tu ne penses pas à eux. Et tu n'es pas, quoi que tu en dises, le Grand Rat. Chacune de tes paroles est un mensonge. S'il y avait un Grand Rat, et j'espère qu'il y en a un, il ne parlerait pas de guerre ni de mort. Il serait formé de ce qu'on a de mieux en nous, pas de ce qu'on a de pire. Non, je ne vais pas te rejoindre, menteur des ténèbres. Je préfère notre manière. On est parfois bêtes et faibles. Mais ensemble on est forts. Tu as des projets pour les rats ? Eh bien, moi, j'ai des rêves pour eux. »

Araignée se cabra en frissonnant. La voix se déchaîna dans la tête de Maurice.

Oh, alors tu te prends pour un bon rat ? Mais le bon rat, c'est celui qui vole le plus ! Tu crois qu'un bon rat c'est un rat en gilet, un petit humain poilu !

*Oh oui, je suis au courant pour le livre stupide, ridicule ! Traître ! Tu trahis les rats ! Vas-tu sentir ma… **douleur** ?*

Maurice la sentit, comme une rafale d'air brûlant qui lui laissait la tête pleine de vapeur. Il reconnut la sensation.

C'était ce qu'il éprouvait avant son Changement. Ce qu'il éprouvait avant d'être Maurice. Quand il n'était qu'un chat. Un chat intelligent, mais rien de plus qu'un chat.

Tu me défies ? cria Araignée à la silhouette voûtée de Pistou. *Moi qui suis tout ce que doit être un vrai **rat** ! Je suis la saleté et les ténèbres ! Je suis les bruits sous le plancher, les frémissements dans les murs ! Je suis ce qui sape et ravage ! Je suis la somme de tout ce que tu rejettes ! Je suis ton double ! Vas-tu **m'obéir** ?*

« Jamais ! répondit Pistou. Tu n'es que ténèbres. »

*Sens ma **douleur** !*

Maurice était davantage qu'un chat, il le savait. Il savait que le monde était vaste, compliqué, qu'il ne se réduisait pas à se demander si le prochain repas se composerait d'insectes ou de cuisses de poulet. Le monde était immense, difficile, il recelait des merveilles et…

… la flamme ardente de la voix horrible portait à ébullition son cerveau qui s'évaporait. Ses souvenirs se déroulaient et s'enfonçaient en tourbillonnant dans les ténèbres. Toutes les autres petites voix, non pas la voix horrible mais celles de Maurice, celles qui le titillaient, se chamaillaient entre elles et lui disaient qu'il agissait mal ou pouvait faire mieux, toutes ces voix s'affaiblissaient de plus en plus…

Et Pistou, toujours immobile, petit et tremblotant, la tête levée, fixait l'obscurité.

« Oui, répondit le rat blanc. Je sens la douleur. »

*Tu n'es qu'un rat. Un petit rat. Et je suis l'**âme** personnifiée des rats. Reconnais-le, petit rat aveugle, petit rat de compagnie.*

Pistou vacilla, et Maurice l'entendit dire : « Non, je refuse. Et je ne suis pas aveugle au point de ne pas voir les ténèbres. »

Maurice renifla et comprit que Pistou pissait tout seul de terreur. Mais le petit rongeur ne bougea pas pour autant.

Oh si, souffla la voix d'Araignée. *Tu peux commander aux ténèbres, n'est-ce pas ? C'est ce que tu as dit à un petit rat. Que tu peux apprendre à commander aux ténèbres.*

« Je suis un rat, murmura Pistou. Mais je ne suis pas de la vermine. »

*De la **vermine** ?*

« Autrefois on n'était que des bêtes couinantes parmi d'autres dans la forêt. Puis les hommes ont bâti des granges et des garde-manger remplis de provisions. Évidemment, on prenait ce qu'on pouvait. Alors on nous a traités de vermine, on nous a piégés, couverts de poison, et, pour une quelconque raison, tu es né de cette médiocrité. Mais tu n'es pas une réponse. Tu n'es qu'une autre création néfaste des hommes. Tu n'offres rien aux rats sinon davantage de douleur. Tu as un pouvoir qui te permet d'entrer dans la tête des gens quand ils sont fatigués, indisposés ou bêtes. Et tu es maintenant dans la mienne. »

Oui. Oh, oui !

« Et pourtant je reste ici. Maintenant que j'ai senti ton odeur, je peux te défier du regard. J'ai beau trembler de tous mes membres, je conserve en moi un espace dont tu es exclu. Je te sens courir de tous côtés dans ma tête, tu vois, mais toutes les portes te sont fermées désormais. Je peux commander aux ténèbres à l'intérieur, là où se trouvent toutes les ténèbres. Tu m'as montré que j'étais davantage qu'un rat. Si je ne suis pas davantage qu'un rat, je ne suis rien. »

Les têtes multiples d'Araignée se tournèrent d'un côté puis de l'autre. Il ne restait désormais plus grand-chose de l'esprit de Maurice en mesure de réfléchir, mais on aurait dit que le roi des rats s'efforçait de prendre une décision.

Sa réponse vint dans un rugissement.

Alors ne sois rien !

Keith battit des paupières. Il avait la main sur le loquet d'une des cages de rats.

Les rongeurs l'observaient. Tous pareillement debout, les yeux rivés sur ses doigts. Des centaines de rats. À l'air… affamé.

« Tu as entendu quelque chose ? » demanda Malicia.

Keith baissa tout doucement la main et fit deux pas en arrière. « Pourquoi on les fait sortir ? dit-il. C'est comme si j'avais… rêvé…

— Je ne sais pas. C'est toi qui connais les rats.

— Mais on était d'accord pour les faire sortir.

— Je… C'était… J'avais l'impression que…

— Les rois des rats peuvent parler aux gens, non ? dit Keith. Est-ce qu'il nous a parlé ?

— Mais on est dans la vie réelle.

— Je croyais que c'était une aventure.

— Bon sang ! J'ai oublié, dit Malicia. Qu'est-ce qu'ils font ? »

C'était comme si les rats se dissolvaient. Ils ne se tenaient plus debout comme des statues attentives. Ce qui ressemblait à de la panique paraissait à nouveau se répandre dans leurs rangs.

Puis d'autres rats jaillirent en masse des murs et cavalèrent follement par terre. Ils étaient beaucoup plus gros que leurs congénères en cage. L'un d'eux mordit Keith à la cheville et le jeune homme le repoussa d'un coup de pied.

« Essaye de les écraser mais surtout ne perds pas l'équilibre ! lança-t-il. Ceux-là ne sont pas très sympathiques !

— Leur marcher dessus ? fit Malicia. Beurk !

— Tu veux dire que tu n'as rien dans ton sac pour combattre les rats ? On est dans un repaire de chasseurs de rats ! Tu as plein de trucs pour les pirates, les bandits et les voleurs !

— Oui, mais il n'y a jamais eu de livre racontant une aventure dans la cave d'un chasseur de rats ! s'écria Malicia. Ouille ! J'en ai un dans le cou ! J'en ai un dans le cou ! Et un autre ! » Elle se pencha frénétiquement pour faire tomber les rongeurs d'une secousse et se redressa brusquement lorsqu'un autre lui sauta au visage.

Keith lui saisit la main. « Ne tombe pas par terre ! Ils vont devenir fous si tu tombes ! Tâche d'aller jusqu'à la porte !

— Ils sont tellement vifs ! haleta Malicia. J'en ai un autre dans les cheveux...

— Ne bouge pas, stupide femelle ! lui lança une voix dans l'oreille. Ne bouge pas ou je te grignote ! »

Des grattements de griffes, un bruissement... et un rat lui dégringola devant les yeux. Puis un autre lui tomba sur l'épaule avec un bruit sourd, glissa et disparut.

« Voilà ! fit la voix sur sa nuque. Maintenant, tu ne bouges pas, tu n'écrases personne et tu t'écartes du chemin !

— C'était quoi, ça ? souffla-t-elle en sentant quelque chose glisser le long de sa robe jusque par terre.

— Je crois que c'est celle qu'ils appellent Grosses-Remises, répondit Keith. Voilà le clan ! »

D'autres rats pénétraient dans le local, mais ceux-là se déplaçaient différemment. Ils restaient groupés et se répandaient selon une ligne qui progressait lentement. Quand un rat ennemi attaquait, la ligne se refermait aussitôt sur lui comme un poing, et quand elle se rouvrait le rat était mort. C'est seulement lorsque les rats survivants flairèrent la terreur de leurs congénères et voulurent s'échapper de la cave que la ligne d'attaque se brisa, se morcela en équipes de deux éléments qui poursuivirent avec acharnement les ennemis en fuite un à un et les supprimèrent d'un coup de dent.

Puis, à peine commencée, la bataille s'acheva. Les couinements de quelques fuyards chanceux s'estompèrent dans les murs.

Des acclamations éparses s'élevèrent parmi les rats du clan, de ces acclamations qui disent : « Je suis encore vivant ! Après tout ça ! »

« Noir-mat ? fit Keith. Qu'est-ce qui t'est arrivé ? »

Noir-mat se cabra et pointa une patte vers l'autre bout de la cave. « Si tu veux te rendre utile, ouvre cette porte ! brailla-t-il. Grouille-toi ! » Puis il se précipita dans une canalisation et le reste de la brigade s'engouffra à sa suite. L'un des rats courait en faisant des claquettes.

Chapitre 11

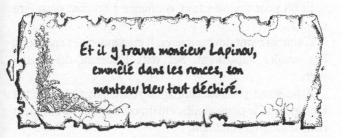

Et il y trouva monsieur Lapinou, emmêlé dans les ronces, son manteau bleu tout déchiré.

L'Aventure de monsieur Lapinou.

L e roi des rats rageait.

Les rats présents s'étreignirent la tête, Pêches poussa un cri strident, trébucha en arrière, et sa dernière allumette enflammée s'échappa de ses pattes.

Mais quelque chose en Maurice survécut à ce rugissement, à cette tempête mentale. Une toute petite parcelle se cacha derrière un neurone et resta tapie tandis que le reste du chat se faisait balayer. Des pensées se détachèrent et disparurent dans la bourrasque. Plus question de parler, plus question de s'interroger, plus question de voir le monde comme extérieur à soi… Des couches de son esprit s'envolaient tandis que le souffle le dépouillait de la conscience de son être pour ne laisser qu'un cerveau de chat. Un chat malin mais tout de même… seulement un chat.

Rien qu'un chat. Retour direct à la forêt, à la caverne, au croc et à la griffe…

Seulement un chat.

Et on peut toujours faire confiance à un chat pour être un chat.

L'animal battit des paupières. Il était indécis et en colère. Ses oreilles s'aplatirent. Ses yeux lancèrent des éclairs verts.

Il ne savait pas réfléchir. Il ne réfléchissait pas. C'était l'instinct qui le poussait désormais, qui agissait directement dans le sang en ébullition.

C'était un chat qui avait devant lui une bestiole gesticulante et couinante, et que font les chats dans ces cas-là ? Ils bondissent…

Le roi des rats se défendit. Des dents claquèrent vers l'agresseur empêtré au milieu des rats déchaînés et le chat roula par terre en miaulant. D'autres rats arrivèrent en masse, des rats capables de tuer un chien… mais en la circonstance, l'espace de quelques secondes, ce chat-là aurait occis un loup.

Il ne remarqua pas la flamme grésillante lorsque l'allumette de Pêches mit le feu à la paille. Il ignora les autres rats qui rompaient les rangs pour prendre la fuite. Il ne prêta aucune attention à la fumée de plus en plus épaisse.

Ce qu'il voulait, c'était tuer.

Un torrent d'eaux noires au fond de lui était endigué depuis des mois. Il était resté trop longtemps impotent et fulminant pendant que de petites bestioles couinantes lui couraient sous le museau. Bondir, mordre et tuer lui manquaient. Agir en vrai chat lui manquait. Le fauve était maintenant lâché, et il coulait dans ses veines de telles doses d'agressivité, de rancœur et de malveillance que des étincelles lui jaillissaient des griffes.

Et tandis que le chat roulait, se débattait et mordait, une toute petite voix au fin fond de son cerveau réduit, tapie le plus loin possible, l'ultime parcelle en lui qui était encore Maurice et non un dément assoiffé de sang, disait : « Maintenant ! Mords ici ! »

Des dents et des griffes se refermèrent sur un amas de huit queues nouées et les mirent en pièces.

La toute petite étincelle qui avait jadis été le *moi* de Maurice entendit une pensée passer en flèche :

Noooo...ooo...oo...on...

Puis elle se volatilisa, et la cave fut pleine de rats, uniquement de rats, rien que des rats qui se bagarraient pour s'écarter du chemin d'un chat furieux, crachant, grondant et sanguinaire qui se mettait à jour de sa condition de chat. Il griffait, mordait, éventrait, bondissait et se retournait pour voir un petit rat blanc qui n'avait pas bougé de tout le combat. Il abattit ses griffes...

Pistou hurla.

« Maurice ! »

La porte trembla et trembla encore lorsque la chaussure de Keith percuta la serrure pour la seconde fois. Au troisième coup, le bois se fendit puis éclata.

Un mur de feu se dressait à l'autre bout de la cave. Les
flammes, sombres et malfaisantes, étaient autant de la
fumée épaisse que du feu. Les rats du clan entraient par la
grille et se répandaient de part et d'autre, les yeux fixés sur
les flammes.

« Oh non ! Viens, il y a des seaux à côté ! dit Keith.

— Mais… fit Malicia.

— C'est à nous de le faire ! Vite ! C'est un travail
d'humains ! »

Les flammes sifflaient et pétillaient. Partout, en feu ou
gisant par terre au-delà des flammes, on apercevait des rats
morts. Parfois même seulement des bouts de rats morts.

« Qu'est-ce qui s'est passé ici ? demanda Noir-mat.

— Ça m'a l'air d'une guerre, patron, répondit Sardines
en flairant les cadavres.

— On peut contourner ?

— Trop chaud, patron. Pardon, mais on… C'est Pêches,
non ? »

Affalée près des flammes, elle marmonnait toute seule,
couverte de saleté. Noir-mat s'accroupit. Pêches ouvrit des
yeux troubles.

« Tu vas bien, Pêches ? Qu'est-ce qui est arrivé à Pistou ? »

Sardines tapota sans rien dire l'épaule de Noir-mat et
tendit la patte.

Traversant le feu, une ombre…

Elle avançait lentement à pas feutrés entre des rideaux
de flammes. L'espace d'un instant, elle parut immense
dans l'air vibrant, comme un monstre émergeant d'une
caverne, puis elle devint… seulement un chat. De la fumée
s'échappait de son pelage. Ce qui ne fumait pas était

encroûté de bouc. Un œil était fermé. Le chat laissait une traînée de sang et, à chaque pas, il s'affaissait légèrement.

Il serrait un petit tas de poils blancs dans sa gueule. Il grondait sans arrêt tout bas.

« C'est Maurice ? fit Sardines.

— C'est Pistou qu'il tient ! s'écria Noir-mat. Arrête ce chat ! » Mais Maurice s'était arrêté tout seul. Il se tourna, se coucha, les pattes étendues devant lui, et regarda les rats, l'œil vitreux.

Puis il déposa délicatement le paquet de poils par terre. Il le poussa une ou deux fois pour voir s'il allait bouger. Il battit lentement des paupières en constatant qu'il restait inerte. Il parut déconcerté, comme au ralenti. Il ouvrit la gueule pour bâiller, et de la fumée en sortit. Alors il posa la tête par terre et mourut.

Le monde paraissait à Maurice éclairé par la lumière fantomatique qui précède l'aube, quand il fait juste assez clair pour distinguer les formes mais pas assez pour reconnaître les couleurs.

Il s'assit et procéda à sa toilette. Des rats et des humains couraient de tous côtés très, très lentement. Ils ne l'inquiétaient pas beaucoup. Il ignorait ce qu'ils s'imaginaient faire, mais ils le faisaient. D'autres cavalaient çà et là sans un bruit, tels des fantômes, mais pas Maurice. Ce qui paraissait lui convenir parfaitement. Son œil ne lui faisait pas mal, sa peau n'était pas douloureuse ni ses pattes en lambeaux, ce qui marquait une nette amélioration par rapport à sa situation récente.

Maintenant qu'il y pensait, il n'était pas sûr des événements récents. Des événements très graves, manifestement. Une forme ressemblant à Maurice gisait près de lui, comme une ombre à trois dimensions. Il la regarda fixement puis se retourna en entendant un bruit dans ce monde fantomatique et silencieux.

Il vit bouger près du mur. Une petite silhouette marchait à grands pas vers le tas minuscule qui était Pistou. Elle avait la taille d'un rat, mais elle était beaucoup plus solide que les autres rongeurs et, à la différence de tous ceux qu'il avait connus jusque-là, elle portait une robe noire.

Un rat en habits, se dit-il. Mais celui-là ne sortait pas d'un volume de *Monsieur Lapinou*. Du capuchon de la robe pointait le museau osseux d'un crâne de rongeur. Et il portait une toute petite faux sur son épaule.

Les autres rats et les humains, qui allaient et venaient avec des seaux, ne lui prêtèrent aucune attention. Certains lui marchèrent carrément au travers. Le rat et Maurice avaient l'air dans un monde à part.

C'est le rat squelette, songea Maurice. C'est le Couineur. Il vient pour Pistou. Après tout ce que j'ai enduré ? Ça ne va pas se passer comme ça ! Il sauta en l'air et atterrit sur le rat squelette. La petite faux glissa par terre.

« D'accord, mon vieux, parle pour voir… » lui intima Maurice.

COUIII !

« Euh… » fit Maurice au moment où il prenait conscience avec horreur de ce qu'il venait de faire.

Une main le saisit par la peau du cou, le souleva de plus en plus haut puis le fit pivoter. Maurice cessa aussitôt de se débattre.

Une autre silhouette le tenait, beaucoup plus grande, de taille humaine, mais vêtue d'une robe noire dans le même style que le rat, armée d'une faux nettement plus impressionnante, et elle aussi complètement dépourvue de chair côté figure. On ne voyait que de l'os.

«CESSE DE T'EN PRENDRE À MON ASSOCIÉ, MAURICE, dit la Mort.

— Ouim'sieur*, monsieur la Mort! Toutdesuitem'sieur! répliqua aussitôt Maurice. Pasdeproblèmem'sieur!

— JE NE T'AVAIS PAS VU DEPUIS UN MOMENT, MAURICE.

— Non, monsieur, dit Maurice qui se détendit légèrement. Fait très attention, monsieur. Regardé des deux côtés en traversant la rue et tout, monsieur.

— ET IL T'EN RESTE COMBIEN MAINTENANT?

— Six, monsieur. Six. Absolument. Six vies, monsieur, absolument. »

La Mort parut surpris. «MAIS UNE CHARRETTE T'A ÉCRASÉ PAS PLUS TARD QUE LE MOIS DERNIER, NON?

— Ça, monsieur? M'a à peine effleuré. M'en suis sorti sans une égratignure, monsieur.

— EXACTEMENT!

— Oh.

— CE QUI FAIT CINQ VIES, MAURICE. JUSQU'À TON AVENTURE D'AUJOURD'HUI. TU AS DÉMARRÉ AVEC NEUF.

— C'est juste, monsieur. C'est juste.» Maurice déglutit. Oh, bah, autant essayer. « Disons qu'il m'en reste trois, d'accord?

---

* Pour les jeunes lecteurs qui découvriraient le Disque-monde, la Mort est de sexe masculin. (Note du traducteur.)

— Trois ? Je n'allais t'en prendre qu'une. Tu ne peux pas perdre plus d'une vie à la fois, même si tu es un chat. Ça t'en laisse quatre, Maurice.

— Et moi je vous demande d'en prendre deux, dit Maurice d'un ton pressant. Deux de mes vies et on est quittes ? »

La Mort et Maurice baissèrent les yeux sur le contour flou, indistinct, de Pistou. D'autres se tenaient à présent autour de lui et le soulevaient.

« Tu es sûr ? dit la Mort. Après tout, c'est un rat.

— Ouim'sieur. C'est là que tout se complique, monsieur.

— Tu ne peux pas expliquer ?

— Voilà. Je ne sais pas pourquoi, monsieur. Tout est un peu bizarre ces temps-ci, monsieur.

— Cette attitude ne ressemble pas à un chat comme toi, Maurice. Je suis étonné.

— Je suis plutôt secoué moi-même, monsieur. J'espère seulement que personne ne s'en rendra compte, monsieur. »

La Mort reposa Maurice près de son cadavre.

« Tu ne me laisses guère le choix. La somme est correcte, même si je trouve ça étonnant. Nous sommes venus pour deux morts et nous en emportons deux... Le compte y est.

— Je peux poser une question, monsieur ? dit Maurice alors que la Mort se retournait pour partir.

— Tu risques de ne pas obtenir de réponse.

— J'imagine qu'il n'existe pas de Grand Chat céleste, hein ?

— Tu me surprends, Maurice. Évidemment, il n'existe pas de dieux chats. Ça ressemblerait trop au... boulot. »

Maurice hocha la tête. Un des avantages, quand on est chat, en dehors des vies en supplément, c'est que la théologie reste beaucoup plus simple. « Je ne me souviendrai pas de tout ça, hein, monsieur ? dit-il. Ce serait trop embarrassant.

— BIEN ENTENDU, MAURICE…

— Maurice ? »

Le monde retrouva ses couleurs, et Keith caressait Maurice. Le chat ressentait des élancements et des douleurs partout. Comment un pelage pouvait-il faire mal ? Ses pattes lui hurlaient leur souffrance, il croyait avoir un morceau de glace à la place d'un œil et ses poumons étaient en feu.

« On te croyait mort ! dit Keith. Malicia allait t'enterrer au fond de son jardin ! Elle a déjà un voile noir, elle a dit.

— Quoi ? Dans son sac d'aventure ?

— Certainement, fit Malicia. Supposez qu'on se retrouve en radeau sur une rivière pleine de poissons mangeurs…

— Ouais, d'accord, merci », grogna Maurice. L'atmosphère empestait le bois brûlé et la vapeur sale.

« Tu vas bien ? demanda Keith qui avait toujours l'air inquiet. Tu es un chat noir porte-bonheur maintenant !

— Ha ha, oui, ha ha », fit Maurice d'un air lugubre. Il se releva péniblement d'une poussée. « Le petit rat va bien ? demanda-t-il en s'efforçant de regarder autour de lui.

— Il était sans connaissance tout comme toi mais, quand ils ont voulu le déplacer, il a toussé un tas de saletés. Il n'est pas en forme mais il va mieux.

— Tout est bien qui finit… commença Maurice qui grimaça. J'ai du mal à tourner la tête.

— Tu es couvert de morsures de rat, voilà pourquoi.

— À quoi ressemble ma queue ?

— Oh, ça va. Elle est presque toute là.

— Oh, parfait. Tout est bien qui finit bien, alors. L'aventure est terminée, il ne reste plus qu'à servir le goûter et les petits gâteaux, comme dit la fille.

— Non, objecta Keith. Il reste le joueur de flûte.

— Ils ne peuvent pas lui donner une piastre pour le dérangement et lui demander de s'en aller ?

— Pas au joueur de flûte. On ne demande pas des trucs pareils au joueur de flûte.

— Un méchant, hein ?

— Je ne sais pas. On dirait. Mais j'ai un plan. »

Maurice grogna. « Toi, tu as un plan ? fit-il. Tu l'as trouvé tout seul ?

— Noir-mat, Malicia et moi.

— Expliquez-moi votre plan sensationnel, soupira Maurice.

— On va garder les *quiquis* en cage et aucun rat ne sortira pour suivre le joueur de flûte. Comme ça, il aura l'air bête, non ? dit Malicia.

— C'est tout ? C'est ça votre plan ?

— Tu ne crois pas que ça va marcher ? s'étonna Keith. D'après Malicia, il sera tellement gêné qu'il partira.

— Vous ne connaissez rien aux gens, hein ? soupira Maurice.

— Quoi ? J'en fais partie ! protesta Malicia.

— Et alors ? Les chats, eux, s'y connaissent en gens. Bien obligés. Personne d'autre ne peut ouvrir les placards. Écoutez, même le roi des rats avait un meilleur plan que ça. Un bon plan, ce n'est pas un plan où il y a un gagnant,

c'est un plan où personne ne croit avoir perdu. Compris ?
Voici ce que vous devez faire... Non, ça ne marcherait pas,
il nous faudrait beaucoup d'ouate... »

Malicia ramena d'une secousse son sac devant elle d'un
air triomphant. « En fait, avoua-t-elle, je m'étais dit que si
jamais je me retrouvais prisonnière dans un calmar mécanique géant sous-marin et que j'avais besoin de boucher...

— Tu vas nous annoncer que tu as beaucoup d'ouate,
c'est ça ? la coupa le chat tout net.

— Oui.

— J'étais bête de m'inquiéter, hein ? »

Noir-mat planta son épée dans la boue. Les rats importants se regroupèrent autour de lui, mais ils avaient changé.
Parmi les rats âgés se trouvaient des jeunes, chacun portant
une marque rouge au front, et ils se pressaient vers le premier rang.

Tous jacassaient. Noir-mat avait flairé une odeur de soulagement après que le rat squelette était passé sans leur
accorder un regard...

« Silence ! » hurla-t-il.

Son ordre fit l'effet d'un gong. Tous les yeux rouges se
tournèrent vers lui. Il se sentait fatigué, il ne respirait pas
bien, et il était maculé de suie et de sang. Tout le sang
n'était pas le sien.

« Ce n'est pas terminé, dit-il.

— Mais on vient de...

— Ce n'est pas terminé ! » Noir-mat fit du regard le tour
du cercle. « On n'a pas eu tous les gros rats, les vrais

combattants, haleta-t-il. Saumure, prends vingt rats et
retourne aider les gardes des nids. Grosses-Remises et les
vieilles femelles sont revenues et mettront en pièces le
moindre agresseur, mais je veux être sûr. »

L'espace d'un instant, Saumure fixa Noir-mat d'un œil
mauvais. « Je ne vois pas pourquoi tu…

— Exécution ! »

Saumure se fit aussitôt tout petit, adressa des signes aux
rats derrière lui et détala.

Noir-mat passa les autres en revue. Sous son regard,
certains se penchèrent en arrière comme s'il s'agissait
d'une flamme. « On va former des équipes, dit-il. Tous
ceux du clan qui ne seront pas de garde rejoindront une
équipe. Au moins un rat dépiégeur par groupe ! Emmenez
du feu ! Et certains jeunes rats feront les messagers, comme
ça vous resterez en contact ! Ne vous approchez pas des
cages, les pauvres bêtes peuvent attendre ! Mais vous allez
explorer tous les tunnels, toutes les caves, tous les trous et
tous les recoins ! Et si vous tombez sur un rat bizarre et
qu'il se fait tout petit, faites-le prisonnier ! Mais s'il veut se
battre – et les gros voudront se battre parce qu'ils ne savent
rien faire d'autre – tuez-le ! Brûlez-le ou mordez-le ! Mais
supprimez-le ! Vous m'entendez ? »

Un murmure d'assentiment lui répondit.

« Je vous demande si vous m'entendez ? »

Cette fois, il eut droit à un rugissement.

« Bien ! Et on ne s'arrêtera pas tant que ces tunnels ne
seront pas sûrs d'un bout à l'autre ! Et ensuite on recom-
mencera ! Jusqu'à ce qu'ils soient à nous ! Parce que… »
Noir-mat empoigna son épée mais s'appuya un instant
dessus afin de reprendre son souffle, et, quand il se remit à

parler, c'était presque un chuchotement. « … Parce qu'on
est au cœur du Bois noir désormais, qu'on a trouvé le Bois
noir dans nos cœurs et que… cette nuit… on… sème la terreur ! » Il prit une autre inspiration et seuls les rats les plus
proches de lui entendirent la suite : « Et qu'on n'a nulle
part ailleurs où aller. »

C'était l'aube. Le sergent Dickdarm, qui représentait la
moitié du guet municipal officiel (et la moitié la plus forte),
se réveilla avec un grognement dans le tout petit bureau
près des portes principales.

Il s'habilla, les jambes un peu flageolantes, puis se débar-
bouilla au-dessus de l'évier en pierre en s'examinant dans
le bout de miroir accroché au mur.

Il s'interrompit. Il entendait un couinement faible mais
désespéré. Puis la petite grille du trou d'écoulement fut
repoussée de côté et un rat jaillit. Un gros rat gris qui lui
courut sur le bras avant de sauter par terre.

La figure dégoulinante d'eau, le sergent Dickdarm, les
yeux larmoyants, fixa avec étonnement trois rats plus petits
qui fusèrent du tuyau et se lancèrent aux trousses du premier. Le gros rat se retourna pour se battre au milieu du
bureau, mais les trois petits le percutèrent en même temps
de trois côtés à la fois. Ça ne ressemblait pas à un combat.
Ça ressemblait, se dit le sergent, davantage à une mise à
mort…

Il y avait un ancien trou à rat dans le mur. Deux petits
rats saisirent la queue du cadavre qu'ils remorquèrent dans
le trou où ils disparurent. Mais le troisième s'arrêta au

bord, se retourna et se dressa sur ses pattes postérieures.

Le sergent eut l'impression que le rongeur le regardait. Il n'avait pas l'air d'un animal qui observe un humain pour voir s'il est dangereux. Il n'avait pas l'air apeuré, seulement curieux. Il portait comme une tache rouge au front.

Le rat salua le sergent. C'était bel et bien un salut, même s'il ne dura qu'une seconde. Puis il n'y eut plus de rat.

Le sergent fixa un moment le trou alors que l'eau continuait de lui goutter du menton.

Et il entendit le chant. Il montait du trou d'évacuation de l'évier avec beaucoup d'écho, comme s'il arrivait de très, très loin. Une voix chantait et d'autres lui répondaient en chœur :

« On mord les chiens, on course les chats…
      … y a pas d'piège qu'arrête les rats !
On n'a pas d'puces, on n'a pas d'rage…
      … on boit l'poison, on prend l'fromage !
Emmerdez-nous et vous verrez…
      … on met l'poison dans vot' café !
On est bien là et on s'y plaît…
      … et on n'en partira jamais ! »

Le chant s'estompa. Le sergent Dickdarm battit des paupières et regarda la bouteille de bière qu'il avait bue la veille au soir. On se sentait seul pendant les services de nuit. Bad Igoince n'avait pas à craindre d'invasion, après tout. Il n'y avait rien à voler.

Mais ce serait sans doute une bonne idée de ne parler de cet incident à personne. Ça ne s'était sans doute pas produit. C'était sans doute une mauvaise bouteille de bière…

La porte du poste s'ouvrit, et le caporal Kautabak entra.

« Bonjour, sergent, lança-t-il. C'est le… Qu'est-ce que t'as ?

— Rien, caporal ! répliqua aussitôt Dickdarm en s'essuyant la figure. J'ai absolument rien vu de bizarre. Pourquoi tu restes planté là ? C'est l'heure d'ouvrir les portes, caporal ! »

Les deux agents sortirent, ouvrirent les portes du village, et le soleil entra à flots.

Il apportait avec lui une ombre interminable.

Oh là là, se dit le sergent Dickdarm. La journée s'annonce vraiment mal…

L'homme à cheval passa devant eux sans un regard et s'engagea sur la place du village. Les gardes se précipitèrent à sa suite. Nul n'est censé ignorer des gens en armes.

« Halte, quelles affaires vous amènent ici ? » demanda le caporal Kautabak qui devait courir en crabe pour se tenir à hauteur du cheval. Le cavalier était vêtu en noir et blanc comme une pie.

Il ne répondit pas mais sourit légèrement tout seul.

« D'accord, peut-être qu'aucune affaire vous amène ici, mais ça vous coûte rien de dire qui vous êtes, hein ? » poursuivit le caporal Kautabak qui ne tenait pas à s'attirer des ennuis. Le cavalier baissa les yeux sur le représentant de l'ordre puis regarda de nouveau fixement devant lui.

Le sergent Dickdarm aperçut un petit chariot couvert qui passait les portes, tiré par un âne accompagné d'un vieil homme. Il était sergent, se dit-il, ce qui signifiait qu'il touchait une meilleure solde que le caporal, ce qui signifiait que ses pensées avaient plus de valeur. Entre autres la suivante : ils n'étaient pas obligés de contrôler tous ceux qui passaient les portes, hein ? Surtout s'ils étaient occupés. Ils devaient choisir des gens au hasard. Et tant qu'à choisir des gens au hasard, ce serait une bonne idée de choisir au hasard un petit vieux à l'air assez petit et assez vieux pour avoir peur d'un uniforme un peu crasseux et d'une cotte de mailles rouillée.

« Halte !

— Hé-là, hé-là ! Ça ne va pas ? dit le vieux. Attention à l'âne, il peut mordre méchamment quand on l'énerve. Je m'en fiche, notez bien.

— Est-ce que vous traiteriez la loi par-dessous la jambe ? demanda le sergent Dickdarm.

— Ben, je la lève moins bien qu'avant, m'sieur. Si vous avez à redire, adressez-vous à mon patron. C'est lui sur le cheval. Le grand cheval. »

L'étranger en noir et blanc avait mis pied à terre près de la fontaine au centre de la place et il ouvrait ses sacoches de selle.

« Je vais aller lui causer, c'est ça », dit le sergent.

Le temps qu'il rejoigne l'étranger en marchant aussi lentement qu'il pouvait se le permettre, l'homme avait calé un petit miroir contre la fontaine et se rasait. Le caporal Kautabak le regardait. L'inconnu lui avait donné son cheval à tenir.

« Pourquoi tu l'as pas arrêté ? souffla le sergent au caporal.

— Quoi ? Pour rasage illégal ? Tiens, sergent, t'as qu'à le faire, toi. »

Le sergent Dickdarm s'éclaircit la gorge. Quelques lève-tôt du village l'observaient déjà. « Euh… dites, écoutez, l'ami, je suis sûr que vous voulez pas… » commença-t-il.

L'homme se redressa et posa sur les gardes un regard qui les fit reculer d'un pas. Il tendit le bras et dénoua la lanière qui retenait un épais rouleau de cuir derrière la selle.

Le paquet se déroula. Le caporal Kautabak siffla. Sur toute la longueur du cuir, maintenues par des sangles, s'alignaient des dizaines de flûtes. Elles étincelaient au soleil levant.

« Oh, vous êtes le joueur... » dit le sergent, mais l'homme revint à son miroir et demanda, comme s'il s'adressait à son reflet :

« Où est-ce qu'on peut avoir un petit-déjeuner par ici ?

— Oh, si c'est un petit-déjeuner que vous voulez, madame Lapousse, au Chou bleu, va vous...

— Des saucisses, dit le joueur de flûte sans cesser de se raser. Grillées d'un côté. Trois. Ici. Dix minutes. Où est le maire ?

— Si vous prenez cette rue puis la première à gauche...

— Allez le chercher.

— Dites, vous pouvez pas... » commença le sergent, mais le caporal Kautabak lui saisit le bras et le tira à l'écart.

« C'est le joueur de flûte ! souffla-t-il. On cherche pas des noises au joueur de flûte ! T'as pas entendu parler de lui ? S'il joue la bonne note sur ses flûtes, t'as les jambes qui tombent !

— Quoi ? Comme avec la peste ?

— Il paraît qu'à Porcsalenz le conseil l'a pas payé, qu'il a joué de sa flûte spéciale, qu'il a entraîné tous les gamins dans les montagnes et qu'on les a jamais revus !

— Parfait. Tu crois qu'il va le faire chez nous ? On serait beaucoup plus tranquilles.

— Hah! T'as jamais entendu parler de ce village en Klatch? Les habitants l'ont engagé pour qu'il les débarrasse d'une invasion de mimes, et, comme ils l'ont pas payé, il a fait danser les agents du guet jusque dans la rivière où ils se sont noyés!

— Non! C'est vrai? Quel démon! fit le sergent Dickdarm.

— Trois cents piastres il fait payer, tu savais ça?

— Trois cents piastres!

— C'est pour ça que personne a envie de le payer, dit le caporal Kautabak.

— Attends, attends... comment on peut avoir une invasion de mimes?

— Oh, c'était horrible, il paraît. Plus personne osait sortir dans la rue.

— Tu veux dire toutes les figures blanches, les gars qui marchent sans bruit...

— Exactement. Horrible. En tout cas, quand je me suis réveillé, y avait un rat qui dansait sur ma table de toilette. *Tacatac, tacatac, tac.*

— Bizarre, ça, dit le sergent Dickdarm en jetant à son caporal un drôle de regard.

— Et il fredonnait. *L'Enfant de la balle.* C'est pire que "bizarre", ça, je trouve!

— Non, c'est bizarre que t'aies une table de toilette, je veux dire. T'es même pas marié.

— Arrête de faire l'andouille, sergent.

— T'as un miroir dessus?

— Allons, sergent. Tu t'occupes des saucisses, sergent, moi je m'occupe du maire.

— Non, Kautabak. Toi, tu t'occupes des saucisses, et

moi je m'occupe du maire, parce que le maire est gratuit et que madame Lapousse voudra se faire payer. »

Le maire était déjà debout quand le sergent arriva, et il allait et venait dans la maison, l'air soucieux.

Il parut encore plus soucieux à la vue du sergent. « Qu'est-ce qu'elle a fait cette fois ? demanda-t-il.

— Monsieur ? » fit le représentant de l'ordre. Le ton de son « monsieur » signifiait « de quoi vous parlez ? ».

« Malicia n'est pas rentrée de la nuit, répondit le maire.

— Vous pensez que quelque chose a pu lui arriver, monsieur ?

— Non, je pense qu'elle a pu arriver à quelqu'un, mon vieux ! Vous vous rappelez le mois dernier ? Quand elle a retrouvé le mystérieux cavalier sans tête ?

— Ben, vous devez reconnaître que c'était un cavalier, monsieur.

— C'est vrai. Mais c'était aussi un petit bonhomme avec un très haut col. Et c'était le percepteur en chef de Mintz. Je reçois encore des lettres officielles pour cette histoire ! Les percepteurs, en principe, n'aiment pas que de jeunes filles leur tombent dessus du haut des arbres ! Puis, en septembre, il y a eu l'affaire du… du…

— Le mystère du moulin du contrebandier, monsieur, dit le sergent en roulant des yeux.

— Qui se réduisait à monsieur Vogel, le secrétaire de mairie, et à madame Schuman, la femme du cordonnier, qui se trouvaient là uniquement à cause de leur goût commun pour l'étude des mœurs du chat-huant…

— … et monsieur Vogel n'avait plus son pantalon parce qu'il l'avait déchiré sur un clou… ajouta le sergent sans regarder le maire.

— ... que madame Schuman lui raccommodait fort aimablement, dit le maire.

— Au clair de lune.

— Il se trouve qu'elle a une très bonne vue ! répliqua sèchement le maire. Et elle ne méritait pas d'être attachée et bâillonnée avec monsieur Vogel, qui a pris drôlement froid dans l'histoire ! J'ai reçu des plaintes de sa part à lui et de sa part à elle, ainsi que de madame Vogel et de monsieur Schuman, puis de monsieur Vogel après que monsieur Schuman est passé chez lui et l'a cogné avec une forme, et ensuite de madame Schuman après que madame Vogel l'a traitée de...

— Une forme de quoi, monsieur ?

— Comment ?

— L'a cogné avec une forme de quoi ?

— Une forme, mon vieux ! Une espèce de pied en bois dont se servent les cordonniers quand ils font des chaussures ! Les dieux seuls savent ce que fait Malicia, cette fois !

— J'imagine que vous le découvrirez quand on entendra du boucan, monsieur.

— Et qu'est-ce que vous me vouliez, sergent ?

— Le joueur de flûte est arrivé, monsieur. »

Le maire pâlit. « Déjà ? fit-il.

— Ouim'sieur. Il se rase à la fontaine.

— Où est ma chaîne officielle ? Ma robe officielle ? Mon chapeau officiel ? Vite, mon vieux, aidez-moi !

— Il m'a pas l'air de se raser très vite, monsieur, dit le sergent en suivant le maire hors de sa chambre au pas de course.

— À Klotz, le maire l'a fait attendre trop longtemps, alors il a joué de sa flûte et l'a changé en blaireau ! dit le

maire en ouvrant un placard à la volée. Ah, les voilà...
Aidez-moi à les passer, vous voulez ? »

Lorsqu'ils arrivèrent sur la place du village, hors
d'haleine, le joueur de flûte était assis sur un banc, entouré
à bonne distance d'un gros attroupement. Il examinait une
demi-saucisse au bout d'une fourchette. Le caporal Kautabak se tenait debout près de lui comme un écolier qui vient
de rendre une copie bâclée et attend qu'on lui annonce
exactement à quel point elle est mauvaise.

« Et c'est ce qu'on appelle une...? disait le joueur de
flûte.

— Une saucisse, monsieur, marmonna le caporal Kautabak.

— C'est ce que vous prenez pour une saucisse chez
vous, n'est-ce pas ? » Les badauds sursautèrent. Bad
Igoince était très fier de ses saucisses porc-campagnol tra-
ditionnelles.

« Ouim'sieur, répondit le caporal Kautabak.

— Étonnant », fit le joueur de flûte. Il leva les yeux sur le
maire. « Et vous êtes... ?

— Je suis le maire du village, et... »

Le joueur de flûte tendit la main en l'air puis hocha la
tête vers le vieux assis dans son chariot, la figure fendue
d'un grand sourire. « Mon agent va traiter avec vous », dit-
il. Il rejeta la saucisse, posa les pieds sur l'autre bout du
banc, se rabattit le chapeau sur les yeux et s'étendit.

Le maire devint cramoisi. Le sergent Dickdarm se pencha vers lui. « Souvenez-vous du blaireau, monsieur ! chu-
chota-t-il.

— Ah... oui... » Le maire, rassemblant le peu de dignité
qui lui restait, se dirigea vers le chariot. « Le tarif pour

débarrasser le village des rats est de trois cents piastres, je crois ? dit-il.

— Alors vous croyez mal, j'ai l'impression », dit le vieux. Il consulta un carnet sur ses genoux. « Voyons voir… Forfait visite à domicile… supplément parce qu'on est le jour de la Saint-Prodnitz… plus l'investissement flûtes… M'a l'air d'un village de moyenne importance, donc supplément là aussi… l'usure du chariot… frais de déplacement à soixante sous du kilomètre… dépenses diverses, contributions, charges… » Il releva les yeux. « Alors voilà, disons mille piastres, d'accord ?

— Mille piastres ! On n'a pas mille piastres ! C'est scandal…

— Blaireau, monsieur ! souffla le sergent Dickdarm.

— Vous ne pouvez pas payer ? demanda le vieux.

— On n'a pas cette somme ! On a dû dépenser beaucoup pour acheter des vivres !

— Vous n'avez pas d'argent du tout ?

— Pas autant, non ! »

Le vieux se gratta le menton. « Hmm, dit-il. Je vois où le bât blesse, parce que… voyons… » Il griffonna un moment dans son carnet puis redressa la tête. « Vous nous devez déjà quatre cent soixante-sept piastres et dix-neuf sous pour la visite à domicile, le déplacement et les frais divers.

— Quoi ? Il n'a même pas joué une seule note !

— Ah, mais il est prêt à le faire. Nous sommes venus jusque chez vous. Vous ne pouvez pas payer ? Alors on est dans un cul-sec, comme on dit. Il faut qu'il emmène quelque chose hors du village, vous voyez. Sinon la nouvelle va se répandre, plus personne ne lui témoignera de

respect, et, quand on n'a pas de respect, qu'est-ce qu'on a ?
Quand un joueur de flûte n'a pas de respect, il…

— … ne vaut rien, fit une voix. Je crois qu'il ne vaut
rien. »

Le joueur de flûte souleva le bord de son chapeau.

L'attroupement s'écarta précipitamment devant Keith.
« Ouais ? lança le joueur de flûte.

— Je ne crois pas qu'il puisse attirer même un seul rat
avec sa flûte, dit Keith. C'est un imposteur et une brute.
Huh, je parie que je peux attirer davantage de rats que lui. »

Certains badauds entreprirent de s'éclipser en douce.
Nul ne tenait à traîner dans les parages quand le joueur de
flûte allait piquer sa colère.

L'homme balança les pieds par terre et remonta son chapeau sur son crâne. « Tu es un joueur de flûte, gamin ? »
demanda-t-il d'une voix douce.

Keith releva le menton d'un air de défi. « Oui. Et ne
m'appelez pas gamin… vieillard. »

L'homme eut un grand sourire. « Ah, dit-il, je savais bien
que j'allais aimer ce patelin. Et tu sais faire danser les rats,
hein, gamin ?

— Mieux que vous, joueur de flûtiau.

— Ça m'a l'air d'un défi.

— Le joueur de flûte n'accepte pas les défis des… commença le vieux dans le chariot, mais son patron le fit taire
du geste.

— Tu sais, petit, dit l'homme, ce n'est pas la première
fois qu'un gamin me provoque. Je marche dans la rue,
j'entends crier : "Sortez votre piccolo, monsieur !" et,
quand je me retourne, je tombe toujours sur un gamin à
l'air bête comme toi. Mais il ne sera pas dit que je suis

un homme déloyal, gamin, alors, si tu veux bien t'excuser, tu partiras d'ici sur autant de jambes qu'à ton arrivée...

— Vous avez peur. » Malicia sortit de la foule.

Le joueur de flûte lui fit un sourire. « Ah ouais ?

— Oui, parce que tout le monde sait ce qui arrive dans
ces cas-là. Je vais poser une question à ce gamin à l'air bête
que je vois pour la première fois : Es-tu un orphelin ?

— Oui, répondit Keith.

— Tu ne sais rien du tout de tes origines ?

— Non.

— Aha ! dit Malicia. La preuve est faite ! On sait tous ce
qui arrive quand un orphelin mystérieux apparaît et lance
un défi à quelqu'un de grand et de puissant, pas vrai ?
C'est comme le troisième et dernier fils d'un roi. Il ne peut
pas faire autrement que gagner ! »

Elle jeta un regard de triomphe aux badauds. Mais les
badauds paraissaient indécis. Ils n'avaient pas lu autant
d'histoires que Malicia et s'attachaient davantage aux
enseignements de la vie réelle, à savoir : quand un incons-
cient petit et vertueux s'en prend à un adversaire grand et
méchant, il ne tarde pas à manger des pissenlits par la
racine.

Pourtant une voix à l'arrière cria « Donnez sa chance au
gamin à l'air bête ! Il sera moins cher, toujours bien ! » et
une autre lança « Oui, c'est vrai », puis encore une : « Je suis
d'accord avec les deux autres ! » Mais absolument personne
ne parut remarquer que toutes ces voix venaient du niveau
du sol ni qu'elles accompagnaient la progression autour de
l'attroupement d'un chat miteux auquel manquaient la
moitié de ses poils. On entendit à la place un murmure

général, pas vraiment des mots, rien susceptible d'attirer des ennuis si le joueur de flûte décidait de prendre la mouche, mais un marmonnement signifiant, dans une certaine mesure, sans vouloir porter ombrage, en respectant le point de vue de chacun, à tout prendre et toutes choses étant égales par ailleurs, qu'on aimerait bien voir donner sa chance au gamin, si vous n'y voyez pas d'objection et sans vouloir vous offenser.

Le joueur de flûte haussa les épaules. « Très bien, dit-il. Ça fera un sujet de conversation. Et quand j'aurai gagné, on me donnera quoi ? »

Le maire toussa. « Est-ce que la main d'une fille en mariage c'est la coutume dans ces cas-là ? Elle a de très bonnes dents et ferait une bo... une épouse pour quiconque dispose d'une grande surface de mur dégagée...

— Père ! s'indigna Malicia.

— Plus tard, plus tard, bien sûr, dit le maire. Il est désagréable mais il est riche.

— Non, je prendrai seulement ce qu'on me doit, répliqua le joueur de flûte. D'une façon ou d'une autre.

— Et je vous dis qu'on n'en a pas les moyens !

— Et moi je vous dis d'une façon ou d'une autre. Et toi, gamin ?

— Votre flûte à rats, répondit Keith.

— Non. Elle est magique, gamin.

— Pourquoi vous avez peur de la parier, alors ? »

L'homme étrécit les yeux. « Bon, d'accord, dit-il.

— Et le village devra me laisser résoudre son problème de rats, dit Keith.

— Et combien tu vas nous prendre, toi ? demanda le maire.

« — Trente pièces d'or ! Trente pièces d'or. Vas-y, dis-le !
cria une voix à l'arrière de la foule.

— Non, je ne vous coûterai rien, dit Keith.

— Imbécile ! » brailla la voix dans la foule. Les badauds
regardèrent autour d'eux, intrigués.

« Rien du tout ? s'étonna le maire.

— Non, rien.

— Euh… la proposition de la main de la fille tient toujours si tu…

— Père !

— Non, ça n'arrive que dans les histoires, dit Keith. Et je
ramènerai aussi une grande partie des vivres que les rats
ont volés.

— Ils les ont mangés ! fit le maire. Comment tu vas t'y
prendre ? Tu vas leur enfoncer les doigts dans le gosier ?

— J'ai dit que j'allais résoudre votre problème de rats,
répéta Keith. D'accord, monsieur le maire ?

— Ma foi, si tu ne prends rien…

— Mais, d'abord, il va falloir que j'emprunte une flûte,
poursuivit Keith.

— Tu n'en as pas ? demanda le maire.

— Elle est cassée. »

Le caporal Kautabak donna un coup de coude au maire.
« J'ai un trombone du temps où j'étais à l'armée, dit-il. Je
peux aller le chercher en un rien de temps. »

Le joueur de flûte éclata de rire.

« Ça ne compte pas ? demanda le maire alors que le
caporal Kautabak filait à toute vitesse.

— Quoi ? Un trombone pour charmer les rats ? Non,
non, laissez-le essayer. On ne peut pas en vouloir à un
gamin d'essayer. Tu te défends au trombone, dis ?

« — Je ne sais pas, répondit Keith.

— Comment ça, tu ne sais pas ?

— Je veux dire que je n'en ai jamais joué. Je serais beaucoup plus à l'aise avec une flûte, une trompette, un piccolo ou une cornemuse de Lancre, mais j'ai déjà vu jouer du trombone et ça n'a pas l'air très difficile. C'est seulement une trompette en plus grand, en fait.

— Hah ! » lâcha le joueur de flûte.

L'agent du guet revint au pas de course en astiquant un trombone cabossé sur sa manche, ce qui ne fit que l'encrasser davantage. Keith s'en saisit, essuya l'embouchure, le porta à ses lèvres, appuya plusieurs fois sur les pistons puis souffla une seule et longue note.

« Ç'a l'air de marcher, dit-il. Je pense pouvoir apprendre au fur et à mesure. » Il lança un sourire bref au joueur de flûte. « Vous voulez commencer ?

— Tu ne charmeras pas un seul rat avec ton engin déglingué, petit, mais je suis ravi d'être là pour assister à ça. »

Keith lui lança un autre sourire, prit son inspiration et se mit à jouer.

On reconnaissait une mélodie. L'instrument couinait et ahanait parce que le caporal Kautabak s'en était parfois servi en guise de marteau, mais il en sortait un air plutôt rapide, presque enjoué. Qui donnait envie de taper du pied.

Quelqu'un tapait d'ailleurs du pied.

Sardines surgit d'une fissure dans un mur voisin en comptant tout bas « un, deux et un-deux-trois-quatre ». Les badauds le regardèrent danser énergiquement sur les pavés puis disparaître plus loin dans une canalisation. Ils se mirent à applaudir.

Le joueur de flûte se tourna vers Keith. « Celui-là portait un chapeau, non ? dit-il.

— Je n'ai pas remarqué, répondit Keith. À vous. »

L'homme sortit un court tronçon de flûte de l'intérieur de sa veste et un autre de sa poche qu'il inséra dans le premier. Suivit un *clic* d'une sécheresse toute militaire.

Sans quitter Keith des yeux, sans se départir de son sourire, le joueur de flûte tira une embouchure de sa poche de poitrine et la vissa à l'instrument dans un ultime *clic*.

Il porta la flûte à sa bouche et joua.

De son poste de veille sur un toit, Grosses-Remises lança un cri dans un tuyau en dessous : « Maintenant ! » Puis elle s'enfonça deux bourres d'ouate dans les oreilles.

En bas du tuyau, Saumure cria dans une canalisation : « Maintenant ! » puis saisit à son tour ses bouchons d'oreille.

… *'tenant, 'tenant, 'tenant,* renvoya l'écho dans les canalisations…

… « Maintenant ! » brailla Noir-mat dans la salle des cages. Il fourra de la paille dans le tuyau. « Tout le monde se bouche les oreilles ! »

Ils avaient fait de leur mieux avec les cages de rats. Malicia avait apporté des couvertures, et les rats avaient passé une heure fébrile à colmater les trous avec de la boue. Ils avaient aussi fait de leur mieux pour nourrir correctement les prisonniers ; il s'agissait peut-être de *quiquis*, mais ça serrait le cœur de les voir se faire aussi petits qu'ils pouvaient.

Noir-mat se tourna vers Nutritionnelle. « Tu t'es bouché les oreilles ? demanda-t-il.

— Pardon ?

— Bien ! » Il prit deux boules d'ouate. « La raconteuse de bêtises a intérêt de ne pas se tromper sur ces trucs-là. À mon avis, la plupart d'entre nous manquent de forces pour fuir. »

Le joueur de flûte souffla encore puis regarda fixement son instrument.

« Rien qu'un rat, dit Keith. Celui que vous voulez. »

L'homme lui lança un regard noir et souffla encore.

« Je n'entends rien, dit le maire.

— Les humains, non, marmonna le joueur de flûte.

— Elle est peut-être cassée », fit obligeamment Keith.

L'homme essaya encore. Keith sentit ses poils se dresser sur sa nuque.

Un rat apparut. Il se déplaça lentement sur les pavés en rebondissant d'un bord à l'autre, finit par buter contre les pieds du joueur de flûte où il bascula et se mit à vrombir.

Les bouches des badauds s'ouvrirent.

C'était un clic-clic.

Le joueur de flûte le poussa du bout du pied. Le rat mécanique roula plusieurs fois sur lui-même puis, après des mois de maltraitance dans les pièges, son ressort céda. Il lâcha un *poiyonngggg* et projeta une giboulée de rouages.

Les badauds éclatèrent de rire.

« Hmm », fit le joueur de flûte. Le regard qu'il jeta cette fois à Keith reflétait à contrecœur une certaine admiration. « D'accord, gamin, reprit-il. On pourrait avoir une petite conversation, non ? Entre joueurs de flûte ? Là-bas, près de la fontaine ?

— À condition qu'on nous voie, dit Keith.

— Tu n'as pas confiance en moi, petit ?

— Bien sûr que non. »

L'homme eut un grand sourire. « Bien. Tu as l'étoffe d'un joueur de flûte, je vois ça. »

Il alla s'asseoir près de la fontaine, ses jambes bottées tendues devant lui, et présenta la flûte. Elle était en bronze, ornée d'un motif en relief de rats en cuivre, et elle brillait au soleil. « Tiens, dit l'homme. Prends-la. C'est un bon modèle. J'en ai des tas d'autres. Vas-y, prends-la. J'aimerais t'entendre en jouer. »

Keith la regarda d'un air hésitant.

« C'est de la supercherie, petit, reprit le joueur de flûte alors que l'instrument luisait comme un rayon de soleil. Tu vois la petite tirette ici ? Quand tu la baisses, la flûte joue une note spéciale que les humains n'entendent pas. Les rats, oui. Ça les met dans tous leurs états. Ils sortent à toute vitesse de terre et tu les conduis dans la rivière comme un chien de berger.

— C'est tout ? fit Keith.

— Tu t'attendais à autre chose ?

— Ben, oui. On raconte que vous changez les gens en blaireaux, que vous conduisez les enfants dans des cavernes magiques et… »

L'homme se pencha en prenant une mine de conspirateur. « La publicité, ça paye toujours, mon gars. Ces petits villages se font parfois un peu prier pour débourser leur argent. Parce que, le truc de changer les gens en blaireaux et tout le reste, c'est que ça n'arrive jamais dans le coin où on habite. La plupart des gens du coin où on habite ne s'éloignent jamais de plus de vingt kilomètres dans leur vie.

Ils sont prêts à croire que n'importe quoi peut arriver au-delà. Une fois que la rumeur est lancée, elle travaille pour toi. La moitié des exploits qu'on m'attribue, je n'y ai même pas pensé moi-même.

— Dites-moi, demanda Keith, avez-vous déjà rencontré un certain Maurice ?

— Maurice ? Maurice ? Je ne crois pas.

— Étonnant. » Keith prit la flûte et posa sur l'homme un long regard appuyé. « Et maintenant, joueur de flûte, dit-il, je crois que vous allez conduire les rats hors du village. Vous n'aurez jamais rien fait de plus impressionnant.

— Hé ? Quoi ? Tu as gagné, petit.

— C'est vous qui allez emmener les rats parce qu'il doit en être ainsi, répondit Keith en astiquant la flûte sur sa manche. Pourquoi est-ce que vous prenez aussi cher ?

— Parce que je leur offre du spectacle. Les habits de fête, le personnage de dur à cuire… Le tarif élevé participe à tout ça. Il faut leur donner de la magie, petit. Laisse-les croire que tu es un chasseur de rats fantaisiste, et tu pourras t'estimer heureux si tu as droit à un repas de fromage et une poignée de main cordiale.

— On va le faire ensemble et les rats vont nous suivre. Jusque dans la rivière, vous allez voir. Ne vous embêtez pas à jouer la note inaudible. Ce sera encore mieux. Vous allez vivre… vivre une grande… histoire. Et vous toucherez votre argent. Trois cents piastres, non ? Mais vous ne prendrez que la moitié parce que je vous donne un coup de main.

— À quoi tu joues, petit ? Je te l'ai dit, tu as gagné.

— Tout le monde gagne. Faites-moi confiance. Ils vous ont fait venir. Ils doivent payer le joueur de flûte. Et puis… (Keith sourit) je ne veux pas permettre aux gens de se figurer qu'il ne faut pas payer les joueurs de flûte, pas vrai ?

— Et moi qui te prenais pour un gamin à l'air bête. Quelle espèce de marché est-ce que tu as passé avec les rats ?

— Vous ne le croiriez pas, joueur de flûte. Vous ne le croiriez pas. »

Saumure fila dans les tunnels, gratta à travers la boue et la paille qui avaient servi à obturer le dernier et bondit dans la salle des cages. Les rats du clan se débouchèrent les oreilles en le voyant.

« Il va le faire ? demanda Noir-mat.

— Ouichef ! Tout de suite ! »

Noir-mat leva les yeux vers les cages. Les *quiquis* étaient moins agités maintenant que le roi des rats était mort et qu'on les avait nourris. Mais, d'après l'odeur, il leur tardait de vider les lieux. Et des rats pris de panique suivent toujours d'autres rats…

« D'accord, dit-il. Préparez-vous, les coureurs ! Ouvrez les cages ! Assurez-vous qu'ils vous suivent. Allez ! Allez ! Allez ! »

Et ce fut presque la fin de l'histoire.

Les villageois hurlèrent lorsque les rats jaillirent de chaque trou et de chaque tuyau. Ils applaudirent quand les deux joueurs de flûte sortirent en dansant du bourg et que les rats cavalèrent derrière eux. Ils sifflèrent lorsque les rats plongèrent du pont dans la rivière.

Aucun ne remarqua que certains rongeurs restaient sur le pont et criaient des conseils aux autres : « Souvenez-vous, de grands mouvements réguliers ! », « Il y a une belle plage un peu plus loin en aval ! » et « Tombez les pieds en premier, vous vous ferez moins mal ! »

Même s'ils l'avaient remarqué, ils n'en auraient sans doute rien dit. Pareils détails détonnent dans un récit.

Puis le joueur de flûte s'éloigna en dansant par-dessus les collines pour ne plus jamais revenir.

Tout le monde applaudit. On avait eu un beau spectacle, s'accordait-on à dire, même s'il avait coûté un peu cher. C'était vraiment un événement à raconter aux enfants.

Le gamin à l'air bête, celui qui avait défié le joueur de flûte, s'en revint nonchalamment sur la place. Il eut droit lui aussi à une salve d'applaudissements. Une bonne journée, tout compte fait. Les villageois se demandèrent s'il leur faudrait davantage d'enfants pour satisfaire à toutes les histoires.

Mais ils comprirent qu'ils en auraient assez en réserve pour les petits-enfants lorsque les autres rats déboulèrent.

Ils se trouvèrent soudain là, jaillissant des canalisations, des gouttières et des fissures. Ils ne couinaient pas, ils ne couraient pas. Ils s'immobilisèrent et regardèrent tout le monde.

« Hé, le joueur de flûte ! cria le maire. Tu en as oublié !

— Non ! On n'est pas les rats qui suivent les joueurs de flûte, lança une voix. On est les rats avec lesquels vous allez devoir négocier. »

Le maire baissa les yeux. Un rat à ses pieds levait la tête vers lui. On aurait dit qu'il tenait une épée.

« Père, dit Malicia derrière lui, ce serait une bonne idée d'écouter ce rat.

— Mais c'est un rat !

— Il le sait, père. Et il sait comment récupérer ton argent, une grande partie des provisions et où retrouver certains de ceux qui nous les ont volées.

— Mais c'est un rat !

— Oui, père. Mais, si tu lui parles gentiment, il pourra nous aider. »

Le maire observa, les yeux écarquillés, les rangs des rats assemblés. « Il faut parler à des rats ?

— Ce serait une bonne idée, père.

— Mais ce sont des rats ! » Le maire donnait l'impression de s'accrocher à son objection comme à une bouée de sauvetage dans une mer démontée : il se noierait s'il la lâchait.

« 'scusez-moi, 'scusez-moi », dit une voix près de lui. Il baissa la tête vers un chat crasseux à moitié roussi qui lui fit un grand sourire.

« Ce chat vient bien de parler, non ? » demanda le maire.

Maurice regarda autour de lui. « Lequel ? fit-il.

— Toi ! Tu ne viens pas de parler ?

— Est-ce que vous vous sentirez mieux si je réponds non ?

— Mais les chats ne parlent pas !

— Ben, je ne garantis pas de pouvoir assurer, vous savez, un discours entier de fin de banquet, ne me demandez pas non plus de monologue comique, et je n'arrive pas à pro-noncer des mots difficiles comme "marmelade" et "lumbago". Mais je me satisfais de répliques de base et de conversations simples et saines. En tant que chat, j'aimerais savoir ce que le rat veut nous dire.

— Monsieur le maire ? intervint Keith en s'approchant tranquillement et en faisant tourner dans ses doigts sa nouvelle flûte. Vous ne croyez pas qu'il est temps pour moi de régler votre problème de rats une fois pour toutes ?

— Le régler ? Mais…

— Il vous suffit de leur parler. Réunissez le conseil municipal et parlez-leur. Ça dépend de vous, monsieur le maire. Vous pouvez pousser les hauts cris, hurler, appeler les chiens, vos administrés peuvent courir partout et taper sur les rats à coups de balai, et, oui, les rats s'enfuiront. Mais ils n'iront pas loin. Et ils reviendront. » Une fois près de l'homme ahuri, Keith se pencha vers lui et souffla : « Et ils vivent sous votre plancher, monsieur. Ils savent se servir du feu. Ils connaissent tout des poisons. Oh oui. Alors… écoutez ce rat.

— Il nous menace ? dit le maire en baissant les yeux sur Noir-mat.

— Non, monsieur le maire, répondit Noir-mat, je vous offre… (il jeta un coup d'œil à Maurice qui hocha la tête) une occasion en or.

— Tu parles réellement ? Tu penses ? » fit le maire.

Noir-mat dressa la tête vers lui. La nuit avait été longue. Il ne voulait rien s'en rappeler. Et une journée plus longue, plus dure, s'annonçait. Il prit une inspiration profonde. « Voici ce que je propose, dit-il. Vous faites comme si les rats savaient penser, et je vous promets de faire comme si les humains le savaient aussi. »

Chapitre 12

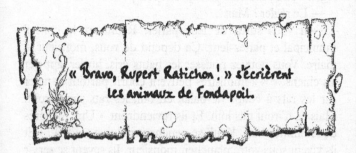

« Bravo, Rupert Ratichon ! » s'écrièrent
les animaux de Fondapoil.

L'Aventure de monsieur Lapinou.

Les villageois se pressaient dans la salle du conseil du Rathaus. La plupart devaient rester dehors et tendre le cou afin de voir ce qui se passait.

Le conseil municipal se tassait à un bout de sa longue table. Une douzaine de rats parmi les meneurs s'étaient installés à l'autre bout.

Et au milieu se tenait Maurice. Il avait soudain bondi sur la table.

Sautemèche, l'horloger, lança un regard mauvais à ses collègues du conseil. « On est en train de discuter avec des rats ! cracha-t-il en s'efforçant de se faire entendre par-dessus le tumulte. On sera la risée du pays si ça se sait ! "La ville qui parlait à ses rats !" Vous voyez ça d'ici !

— Les rats ne sont pas là pour qu'on leur parle, renchérit Raufman, le bottier, en poussant le maire avec le doigt. Un maire digne de ce nom enverrait chercher les chasseurs de rats !

— D'après ma fille, ils sont enfermés dans une cave », répliqua le maire. Il fixait le doigt.

« Enfermés par vos rats parlants ? demanda Raufman.

— Enfermés par ma fille, répondit calmement le maire. Enlevez votre doigt, monsieur Raufman. Elle y a emmené les agents du guet. Elle porte de graves accusations, monsieur Raufman. Elle affirme qu'une grosse quantité de provisions sont entreposées sous leur cabane. Elle affirme qu'ils les ont volées pour les revendre aux marchands de la rivière. Le chasseur principal est votre beau-frère, non, monsieur Raufman ? Je me souviens que vous teniez beaucoup à ce qu'on l'engage, n'est-ce pas ? »

Il y eut un remue-ménage à l'entrée. Le sergent Dickdarm se fraya un chemin dans la cohue, la figure fendue d'un grand sourire, et posa une grosse saucisse sur la table.

« Une malheureuse saucisse, ça n'est pas vraiment du vol », dit Raufman.

Il y eut un nouveau remue-ménage dans la foule qui s'écarta pour laisser apparaître ce qui était, à proprement parler, un caporal Kautabak à la progression laborieuse. Mais on le reconnut seulement après qu'on l'eut délesté de trois sacs de blé, de huit chapelets de saucisses, d'un baril de betteraves au vinaigre et de quinze choux.

Le sergent Dickdarm salua promptement dans un concert de jurons étouffés et de choux tombant par terre avec un bruit mat. « Permission de prendre six hommes pour nous aider à ramener le reste du butin, monsieur ! dit-il d'un air joyeux et la figure rayonnante.

— Où sont les chasseurs de rats ? dit le maire.

— Dans la… le pétrin, monsieur, répondit le sergent. Je leur ai demandé s'ils voulaient sortir, mais ils ont répondu qu'ils préféraient rester encore un peu, merci beaucoup, mais qu'ils aimeraient un verre d'eau et des pantalons propres.

— C'est tout ce qu'ils ont dit ? »

Le sergent Dickdarm sortit son calepin. « Non, monsieur, ils étaient très bavards. Ils pleuraient, par le fait. Ils ont dit qu'ils avoueraient tout en échange des pantalons propres. Et il y avait aussi ça, monsieur. »

Le sergent sortit et revint avec une lourde boîte qu'il posa dans un choc sourd sur la table cirée. « Suite à des renseignements fournis par un rat, monsieur, nous sommes allés jeter un coup d'œil sous une des lattes du plancher. Il doit y avoir plus de deux cents piastres là-dedans. Des gains mal acquis, monsieur.

— Vous avez obtenu des renseignements d'un rat ? »

Le sergent sortit Sardines de sa poche. Le rat mangeait un biscuit, mais il souleva poliment son chapeau.

« Ce n'est pas un peu… contraire à l'hygiène ? dit le maire.

— Non, patron, il s'est lavé les mains, répondit Sardines.

— Je parlais au sergent !

— Non, monsieur ! Un bon p'tit gars, monsieur. Très propre. Il me rappelle un hamster que j'avais quand j'étais jeune, monsieur.

— Ben, merci, sergent, bravo, allez-y, je vous prie, et…

— Il s'appelait Horace, ajouta obligeamment le sergent.

— Merci, sergent, et maintenant…

— Ça me fait du bien de revoir des joues gonflées de boustifaillle, monsieur.

— Merci, sergent ! »

Une fois le sergent parti, le maire se tourna et regarda fixement monsieur Raufman. L'homme eut la bonne grâce de paraître gêné. « Je connais à peine ce type, se défendit-il. C'est juste un gars qui a épousé ma sœur, rien d'autre ! Je ne l'ai presque jamais vu !

— Je comprends bien, fit le maire. Et je n'ai pas l'intention de demander au sergent d'aller fouiller dans votre cellier… (il eut un autre petit sourire, renifla et termina) tout de suite. Bon, où en était-on ?

— J'allais vous raconter une histoire », intervint Maurice.

Le conseil municipal se mit à le dévisager.

« Et ton nom, c'est… ? demanda le maire qui se sentait à présent de bonne humeur.

— Maurice, répondit Maurice. Je suis négociateur indépendant, comme qui dirait. Je constate que vous avez du mal à parler à des rats, mais les humains aiment bien parler aux chats, non ?

— Comme dans *Dick Livingstone* ? fit Sautemèche.

— Ouais, c'est ça, tout juste, ouais, et…

— Et dans *Le Chat botté* ? dit le caporal Kautabak.

— Ouais, c'est ça, comme dans les bouquins, fit Maurice en se renfrognant. Bref… les chats peuvent parler aux rats, d'accord ? Et je vais vous raconter une histoire. Mais, d'abord, je dois vous dire que mes clients, les rats, partiront tous du village si vous le voulez et qu'ils ne reviendront jamais. Plus jamais. »

Les humains le regardèrent fixement. Les rats aussi.

« Ah bon ? fit Noir-mat.

— Ah bon ? fit le maire.

— Oui, confirma Maurice. Et maintenant je vais vous raconter l'histoire d'un village de veinards. Je ne connais pas encore son nom. Admettons que mes clients le quittent et déménagent plus en aval, d'accord ? Des tas de villages bordent cette rivière, sûrement. Et il existe quelque part un village qui dira : "Hé, on peut passer un marché avec les rats." Et ce sera un village drôlement chanceux parce qu'il y aura alors des règles, voyez ?

— Pas exactement, non, dit le maire.

— Ben, dans ce village de veinards, donc, une ménagère qui ferait, mettons, un plateau de gâteaux, ben, il lui suffirait de crier dans le trou à rat le plus proche : "Bonjour, les rats, il y a un gâteau pour vous, je vous saurais gré de ne pas toucher aux autres" ; et les rats diront : "Parfaitement, m'dame, aucun problème." Ensuite…

— D'après vous, on devrait soudoyer les rats ? dit le maire.

— Moins chers que les joueurs de flûte, fit observer Maurice. Et puis ce serait un salaire. Je vous entends déjà crier : un salaire en échange de quoi ?

— J'ai crié ça ? dit le maire.

— Vous alliez le faire. Et moi vous expliquer que ce serait un salaire en échange de… l'élimination de la vermine.

— Quoi ? Mais les rats sont de la verm…

— Plus un mot ! lâcha Noir-mat.

— De la vermine comme les cafards, expliqua Maurice d'une voix douce. J'ai vu que vous en aviez beaucoup ici.

— Est-ce qu'ils parlent eux aussi ? » demanda le maire. Il avait désormais l'air vaguement traqué de tous ceux qui subissaient les discours de Maurice depuis un certain temps. Sa mine disait : Je vais où je n'ai pas envie d'aller, mais je ne sais pas comment me défiler.

« Non, fit Maurice. Pas plus que les souris ni les rats norm... les autres rats. Donc la vermine ne sera plus qu'un mauvais souvenir dans ce village de veinards parce que ses nouveaux rats tiendront lieu de force de l'ordre. Le clan surveillera vos garde-manger, quoi – pardon, je veux dire les garde-manger du village de veinards en question. Pas besoin de chasseurs de rats. Pensez à l'économie. Mais ça ne sera que le début. Les sculpteurs sur bois deviendront aussi plus riches dans ce village de veinards.

— Comment ça ? fit sèchement Hauptmann, le sculpteur sur bois.

— Parce que les rats travailleront pour eux, répondit Maurice. Il faut qu'ils rongent sans arrêt pour empêcher leurs dents de trop pousser, alors ils pourraient parfaitement fabriquer des pendules à coucou. Et les horlogers y gagneront aussi.

— Pourquoi donc ? demanda Sautemèche, l'horloger.

— De toutes petites pattes très habiles à manier les petits ressorts et tout, dit Maurice. Et ensuite...

— Ils ne feraient que des coucous ou aussi d'autres articles ? le coupa Hauptmann.

— ... et ensuite il y a l'élément touristique, poursuivit Maurice. Par exemple... l'Horloge aux Rats. Vous savez, comme l'horloge à Kondom ? Sur la place ? Les petites figurines qui sortent tous les quarts d'heure et tapent sur les cloches ? *Cling bong bang, bing clong bong ?* Beaucoup de

succès, on peut acheter des cartes postales et tout. Une
attraction courue. On vient de loin juste pour rester devant
et attendre le quart d'heure suivant. Eh bien, le village de
veinards aura de vrais rats pour taper sur les cloches !

— Donc, ce que tu dis, fit l'horloger, c'est que si nous...
enfin, si le village de veinards avait une grosse horloge spéciale avec des rats, des touristes viendraient la voir ?

— Et rester comme ça sans rien faire pendant peut-être
près d'un quart d'heure ? lança quelqu'un.

— Ils auraient tout le temps d'acheter des modèles
réduits faits main de l'horloge », dit l'horloger.

Tout le monde se plongea dans ses réflexions.

« Des chopes décorées de rats, dit un potier.

— Des tasses et des assiettes souvenirs en bois rongées
main, dit Hauptmann.

— Des rats en peluche !

— Des rats en bâtonnets ! »

Noir-mat inspira profondément. Maurice intervint aussitôt : « Bonne idée. En caramel, évidemment. » Il lança un
coup d'œil à Keith. « Et je pense que la municipalité voudra
même embaucher son propre joueur de flûte. Vous savez.
Pour les cérémonies. "Faites-vous tirer le portrait avec le
joueur de flûte officiel et ses rats", un truc comme ça.

— Un petit théâtre peut-être ? » lança une voix menue.

Noir-mat pivota d'un bloc. « Sardines ! fit-il.

— Ben, patron, je me disais, puisque tout le monde en
profite... protesta Sardines.

— Maurice, il faudrait qu'on en discute, dit Pistou en
tiraillant la patte du chat.

— Excusez-moi un instant, fit Maurice en gratifiant le
maire d'un bref sourire, j'ai besoin de consulter mes

clients. Évidemment, ajouta-t-il, je parle du village de veinards. Qui ne sera pas le vôtre, bien entendu, car une fois mes clients partis, d'autres rats vont arriver. Il y a toujours davantage de rats. Et ceux-là ne parleront pas, ils n'auront pas de règlements, ils pisseront dans la crème, vous serez forcés de trouver de nouveaux chasseurs, des chasseurs dignes de confiance, et vous ne disposerez pas d'autant d'argent parce que tout le monde ira dans l'autre village. Une idée comme ça. »

Il parcourut la table et se tourna vers les rats. « Je me débrouillais si bien ! dit-il. Vous pourriez toucher dix pour cent, vous savez ? Vos figures sur les chopes et tout !

— Et c'est pour ça qu'on s'est battus toute la nuit ? cracha Noir-mat. Pour jouer les animaux de compagnie ?

— Maurice, ce n'est pas bien, dit Pistou. Il vaut sûrement mieux en appeler aux liens communs entre des espèces intelligentes plutôt que...

— Les espèces intelligentes, je ne connais pas. Là, on a affaire aux humains, répliqua Maurice. Vous connaissez les guerres ? Beaucoup de succès chez les humains. Ils se battent contre d'autres humains. Pas très amateurs de liens communs.

— Oui, mais on n'est pas...

— Maintenant écoutez. Il y a dix minutes, ces gens-là vous tenaient pour des nuisibles. À présent ils vous trouvent... utiles. Allez savoir ce que je peux les amener à croire d'ici une demi-heure.

— Tu veux qu'on travaille pour eux ? demanda Noir-mat. On a gagné le droit de rester ici !

— Vous travaillerez pour vous-mêmes. Écoutez, ces gens-là ne sont pas des philosophes. Ce sont des gens...

ordinaires, c'est tout. Ils ne comprennent pas les tunnels. C'est un bourg. Il faut les aborder de la bonne manière. De toute façon, vous empêcherez les autres rats de venir et vous ne vous amuserez pas à pisser dans les confitures, alors autant qu'ils vous en remercient. » Il insista. « Il y aura des cris, d'accord, ouais. Puis, tôt ou tard, il faudra discuter. » Il vit leurs yeux toujours voilés de perplexité et se tourna vers Sardines en désespoir de cause. « Aide-moi, demanda-t-il.

— Il a raison, patron. Faut leur donner du spectacle, dit Sardines en exécutant quelques pas de danse nerveux.

— Ils vont se moquer de nous ! répliqua Noir-mat.

— Mieux vaut des rires que des cris, patron. C'est un début. Faut danser, patron. Vous pouvez penser et vous pouvez vous battre, mais le monde bouge sans arrêt et, si vous voulez rester en tête, faut danser. » Il souleva son chapeau et fit tournoyer sa canne. À l'autre bout de la salle, deux humains l'aperçurent et gloussèrent. « Vous voyez ?

— J'espérais qu'il existait une île quelque part, regretta Pistou. Un territoire où les rats pourraient vraiment être des rats.

— On a vu où ça mène, dit Noir-mat. Et, vous savez, je ne crois pas qu'il existe d'île lointaine idyllique pour des rats comme nous. Pas pour nous. » Il soupira. « Si elle existe quelque part, c'est ici. Mais je n'ai pas l'intention de danser.

— Façon de parler, patron, façon de parler », dit Sardines en sautillant d'une patte sur l'autre.

Un coup sourd ébranla l'autre bout de la table. Le maire venait de frapper du poing. « Il faut se montrer pratiques ! disait-il. Ça ne peut pas être pire, pas vrai ? Ils parlent. Je ne vais pas revenir là-dessus, compris ? On a des vivres, on a récupéré une grande partie de l'argent, on a survécu au joueur de flûte… ce sont des rats porte-bonheur… »

Les silhouettes de Keith et de Malicia se dressèrent au-dessus des rats.

« J'ai l'impression que mon père se fait à l'idée, nota Malicia. Et toi ?

— Les discussions continuent, fit Maurice.

— Je… euh… excusez-m… euh… écoutez, Maurice m'a indiqué où chercher et j'ai trouvé ça dans le tunnel », dit Malicia.

Les pages étaient collées les unes aux autres, toutes tachées, une main très impatiente les avait cousues ensemble, mais on reconnaissait encore *L'Aventure de monsieur Lapinou*. « J'ai dû soulever des tas de grilles d'égout pour récupérer toutes les pages », ajouta-t-elle.

Les rats observèrent le livre. Puis se tournèrent vers Pistou.

« C'est *Monsieur Lap*… commença Pêches.

— Je sais. Je le sens », répliqua Pistou.

Tous les rats contemplèrent encore les restes de l'ouvrage.

« C'est un mensonge, fit Pêches.

— C'est peut-être seulement une belle histoire, dit Sardines.

— Oui, convint Pistou. Oui. » Il tourna ses yeux roses embués vers Noir-mat, qui dut se retenir de ne pas se faire tout petit, et ajouta : « C'est peut-être une carte. »

S'il s'était agi d'un conte et non de la vie réelle, hommes et rats se seraient serré la main avant de s'en aller vers un nouvel avenir radieux.

Mais comme il s'agissait de la vie réelle, il fallait un contrat. Une guerre qui durait depuis le jour où les hommes avaient décidé de vivre dans des maisons ne pouvait pas s'achever sur un sourire de satisfaction. Et il fallait une commission. Il y avait tant de détails à discuter. Le conseil municipal y travaillait, ainsi que la plupart des rats en chef, et Maurice, qui faisait les cent pas sur la table, était lui aussi de la partie.

Noir-mat siégeait à un bout. Il avait vraiment envie de dormir. Sa blessure le faisait souffrir, il avait mal aux dents et il n'avait pas mangé depuis une éternité. Les flux et reflux de la discussion étaient passés au-dessus de sa tête penchée des heures durant. Il ne faisait plus attention à qui parlait. La plupart du temps, tout le monde, semblait-il.

« Article suivant : clochettes obligatoires sur tous les chats. D'accord ?

— On ne pourrait pas revenir à la clause 30, monsieur… euh… Maurice ? Vous disiez que tuer un rat serait un meurtre ?

— Oui. Évidemment.

— Mais c'est seulement…

— Parlez à la queue, monsieur, les moustaches ne veulent pas le savoir.

— Le chat a raison, dit le maire. Votre remarque est déplacée, monsieur Raufman ! On a déjà réglé la question.

— Et si un rat me fauche quelque chose ?

— Hum. Alors ce sera du vol, et le rat devra passer en jugement.

— Oh, jeune… ?

— Pêches. Je suis une rate, monsieur.

— Et… euh… et les agents du guet pourront aller dans les tunnels des rats, hein ?

— Oui ! Parce qu'il y aura des agents rats dans le guet. Forcément, dit Maurice. Pas de problème !

— Ah bon ? Et qu'est-ce que le sergent Dickdarm en pense ? Sergent Dickdarm ?

— Euh… chaispas, monsieur. Pourrait marcher, j'imagine. Je sais que, moi, je pourrais pas passer dans un tunnel de rats. Faudra faire les insignes plus petits, c'est sûr.

— Mais vous ne suggérez évidemment pas qu'un agent rat aurait le droit d'arrêter un humain ?

— Oh si, monsieur, répondit le sergent.

— Quoi ?

— Ben, si le rat est un gendarme… un radarme assermenté, j'entends… alors vous pouvez pas vous amuser à dire qu'on a pas le droit d'arrêter quelqu'un plus grand que soi, hein ? Ça peut être utile, un agent rat. Si j'ai bien compris, ils ont le truc pour vous remonter dans la jambe du pantalon…

— Messieurs, il faut avancer. Je propose de confier cette question à la sous-commission.

— À laquelle, monsieur ? On en a déjà dix-sept ! »

Un des conseillers lâcha un grognement. Il s'agissait de monsieur Schlummer, quatre-vingt-quinze ans, qui avait dormi toute la matinée. Le grognement signifiait qu'il se réveillait.

Son regard traversa la longueur de la table. Ses favoris s'agitèrent. « Il y a un rat là-bas ! dit-il en pointant le doigt. Regardez, mm, quel culot ! Un rat ! En chapeau !

— Oui, monsieur. C'est une réunion pour discuter avec les rats », lui expliqua quelqu'un à côté de lui.

Il baissa les yeux et chercha ses lunettes à tâtons. « Quoiça ? » fit-il. Il regarda plus près. « Dis donc, tu ne serais pas, mm, un rat toi aussi ?

— Si, monsieur. Je m'appelle Nutritionnelle, monsieur. On est ici pour discuter avec les humains. Pour résoudre tous les problèmes. »

Monsieur Schlummer fixa le rat. Puis il regarda en face de lui Sardines qui souleva son chapeau. Puis le maire qui hocha la tête. Il passa tout le monde en revue. Ses lèvres remuaient tandis qu'il essayait de comprendre.

« Vous parlez tous ? finit-il par demander.

— Oui, monsieur, répondit Nutritionnelle.

— Alors… qui écoute ?

— On y arrive », dit Maurice.

Monsieur Schlummer lui jeta un regard noir. « Tu es un chat, toi ? demanda-t-il.

— Oui, monsieur. »

Monsieur Schlummer digéra lentement cette nouvelle information. « Je croyais qu'on tuait les rats ? dit-il comme s'il n'en était plus très sûr.

— Oui, mais vous voyez, monsieur, c'est l'avenir, expliqua Maurice.

— Ah bon ? Vraiment ? Je me suis toujours demandé quand ça se produirait. Ah, bah. Les chats parlent aussi maintenant ? Bravo ! Faut évoluer avec le, mm, le… ce qui évolue, m'est avis. Réveille-moi quand ils serviront le, mm, thé, tu veux, minou ?

— Euh… il ne faut pas appeler un chat "minou" quand on a plus de dix ans, monsieur, dit Nutritionnelle.

— Clause 19 b, confirma Maurice d'un ton ferme. Nul ne doit appeler les chats par des noms ridicules sans intention de leur donner à manger tout de suite. Une clause à moi, ajouta-t-il fièrement.

— Vraiment ? fit monsieur Schlummer. Ma parole, l'avenir est curieux. Tout de même, je me permets de dire qu'il fallait mettre les choses au clair… »

Il se renfonça dans son fauteuil et ne tarda pas à ronfler.

Autour de lui, les discussions reprirent à tire-larigot. Des tas d'intervenants parlaient. Certains écoutaient. De temps en temps ils approuvaient… passaient à autre chose… et argumentaient. Mais les piles de paperasse sur la table grossissaient et paraissaient de plus en plus officielles.

Noir-mat se força à se réveiller une nouvelle fois et s'aperçut qu'on l'observait. À l'autre bout de la table, le maire le fixait longuement, l'air songeur.

Sans le quitter des yeux, l'homme se pencha en arrière et dit quelque chose à un employé qui opina, fit le tour de la table en passant près des membres du conseil en pleine discussion et s'approcha de Noir-mat.

Il se baissa. « Tu… me… com-prends ? demanda-t-il en articulant très distinctement chaque mot.

— Oui… par-ce que… je ne… suis pas… i-diot, répliqua Noir-mat.

— Oh, euh… le maire se demande s'il ne pourrait pas te voir dans son bureau particulier, dit l'employé. La porte là-bas. Je peux t'aider à descendre, si tu veux.

— Je pourrais vous mordre le doigt, si vous voulez », dit Noir-mat. Le maire s'éloignait déjà de la table. Noir-mat se laissa glisser à terre et le suivit. Nul ne prêta attention à aucun des deux.

Le maire attendit que la queue du rat soit passée avant de refermer soigneusement la porte.

La pièce était petite et en désordre. Des papiers jonchaient la plupart des surfaces planes. Des bibliothèques couvraient plusieurs murs ; des ouvrages en surnombre et d'autres papiers étaient coincés dans le moindre espace entre le haut des livres et les étagères.

Le maire se dirigea avec une délicatesse exagérée vers un grand fauteuil à pivot plutôt fatigué, s'assit et baissa les yeux sur Noir-mat. « Je m'y prends mal, dit-il. J'ai pensé qu'il nous fallait avoir une… petite discussion. Je peux vous soulever ? Je veux dire, ce serait plus facile de vous parler si vous étiez sur mon bureau…

— Non, fit Noir-mat. Et ce serait plus facile de vous parler à vous si vous vous couchiez par terre. » Il soupira. Il était trop fatigué pour jouer. « Si vous posez la main à plat par terre, je pourrai monter dessus et vous me soulèverez à la hauteur du bureau, dit-il, mais si vous tentez un tour de cochon, je vous arrache le pouce avec les dents. »

Le maire le souleva avec une précaution extrême. Noir-mat bondit dans le fatras de papiers, de tasses vides et de vieux crayons qui couvrait le dessus de cuir inégal et dressa la tête vers l'homme embarrassé.

« Euh… est-ce que vous avez beaucoup de paperasse dans votre travail ? demanda le maire.

— C'est Pêches qui écrit, répondit tout net Noir-mat.

— La petite rate qui tousse avant de parler, c'est ça ?

— C'est ça.

— Elle est très… catégorique, hein ? » dit le maire, et Noir-mat s'aperçut que l'homme transpirait à présent. « Elle fait un peu peur à certains des conseillers, hà ha.

— Ha ha », répéta Noir-mat. Le maire faisait pitié à voir. Il donnait l'impression de chercher quelque chose à dire. « Vous… euh… vous adaptez bien ? demanda-t-il.

— J'ai passé une partie de la nuit dernière à me battre avec un chien dans une fosse à rats et, après, je crois être resté coincé un moment dans un piège à rat, répondit Noir-mat d'un ton glacial. Ensuite il y a eu comme une guerre. À part ça, je ne peux pas me plaindre. »

Le maire posa sur lui un regard soucieux. Pour la première fois, autant qu'il s'en souvenait, Noir-mat plaignait un humain. Le gamin à l'air bête était différent. Le maire paraissait dans le même état de fatigue que le rat.

« Écoutez, dit-il, je crois que ça peut marcher, si c'est ce que vous voulez me demander. »

La figure du maire s'éclaira. « C'est vrai ? fit-il. Ça discute beaucoup.

— C'est pour ça que je le crois, dit Noir-mat. Des hommes et des rats qui discutent. Vous n'empoisonnez pas notre fromage et on ne pisse pas dans vos confitures. Ça ne sera pas facile, mais c'est un début.

— Il y a pourtant une chose que je voudrais savoir.

— Oui ?

— Vous auriez pu empoisonner nos puits. Vous auriez pu mettre le feu à nos maisons. D'après ma fille, vous êtes très… avancés. Vous ne nous devez rien. Pourquoi vous ne l'avez pas fait ?

— Dans quel but ? Qu'est-ce qu'on aurait fait après ? dit Noir-mat. Déménagé dans un autre village ? Revivre tout ça ? Qu'est-ce que ça nous aurait apporté de plus de vous tuer ? Tôt ou tard il faudrait qu'on parle aux humains. Autant que ce soit vous.

— Vous nous aimez bien, j'en suis ravi ! » dit le maire.

Noir-mat ouvrit la gueule pour répliquer : Vous aimer ? Non, on ne vous déteste pas assez, c'est tout. On n'est pas copains.

Mais… il n'y aurait plus de fosses à rats. Plus de pièges, plus de poison. C'est vrai, il allait devoir expliquer au clan ce qu'était un agent de police et pourquoi les agents rats risquaient de poursuivre les rats qui avaient violé les nouvelles règles. Ils n'allaient pas aimer ça. Ils n'allaient pas aimer ça du tout. Même un rat qui portait sur lui la marque des dents du rat squelette allait avoir du mal à s'y habituer. Mais, comme avait dit Maurice : ils feront ceci, vous ferez cela. Personne n'y perdra beaucoup et personne n'y gagnera beaucoup non plus. Le village prospérera, les enfants de tout le monde grandiront et, d'un coup, tout sera normal.

Et chacun aime que tout soit normal. Personne n'aime voir les choses normales changer. Ça doit valoir le coup d'essayer, songea Noir-mat.

« Je veux maintenant vous poser une question, dit-il. Vous êtes le chef depuis… combien de temps ?

— Dix ans, répondit le maire.

— Ce n'est pas dur ?

— Oh si. Oh si. On discute tout le temps mes décisions. Je dois pourtant avouer que je m'attends à un peu moins de contestation si tout ça marche. Mais ce n'est pas un boulot facile.

— C'est ridicule de devoir crier sans arrêt pour que les choses se fassent, dit Noir-mat.

— C'est vrai, reconnut le maire.

— Et tout le monde attend qu'on prenne les décisions.

— Exact.

— Le dernier chef m'a donné un conseil juste avant de mourir, et vous savez lequel ? "Ne mange pas le bout vert tout mou !"

— Bon conseil ? demanda le maire.

— Oui, répondit Noir-mat. Mais tout ce que lui avait à faire, c'était être gros, costaud et se battre contre tous les autres rats qui voulaient être chefs.

— C'est un peu pareil avec le conseil, dit le maire.

— Quoi ? Vous les mordez au cou ?

— Pas encore. Mais c'est une idée, j'avoue.

— C'est beaucoup plus compliqué que je l'avais cru ! reprit Noir-mat d'un air hébété. Parce qu'après avoir appris à crier il faut apprendre à se retenir !

— Encore exact. C'est comme ça que ça marche. » Le maire posa la main sur le bureau, paume en l'air. « Puis-je ? » proposa-t-il.

Le rat monta à bord et se maintint en équilibre tandis que l'homme le portait jusqu'à la fenêtre pour le déposer sur l'appui.

« Vous voyez la rivière ? demanda le maire. Vous voyez les maisons ? Vous voyez les gens dans les rues ? C'est à moi de faire marcher tout ça. Enfin, pas la rivière, bien sûr, elle se débrouille toute seule. Et tous les ans je découvre que je n'ai pas assez dérangé mes administrés pour qu'ils élisent un autre maire. Alors je dois recommencer. C'est beaucoup plus compliqué que je ne l'avais cru.

— Quoi ? Pour vous aussi ? Mais vous êtes un humain ! s'étonna Noir-mat.

— Hah ! Vous croyez que ça rend les choses plus faciles ? Moi, je croyais les rats sauvages et libres !

— Hah ! »

Tous deux regardèrent par la fenêtre. Sur la place en dessous, ils virent Keith et Malicia qui marchaient, en grande conversation.

« Si vous voulez, dit le maire au bout d'un moment, vous pourrez avoir une petite table dans mon bureau…

— Je vivrai sous terre, merci bien, répliqua Noir-mat en se ressaisissant. Les petites tables, ça fait un peu monsieur Lapinou. »

Le maire soupira. « J'imagine. Euh… » Il avait l'air sur le point de partager un lourd secret, ce qui était d'une certaine façon le cas. « J'aimais ces livres quand j'étais gamin, tout de même. Évidemment, je savais que c'étaient des bêtises, mais, malgré tout, c'était agréable de se dire que…

— Ouais, ouais, le coupa Noir-mat. Mais le lapin est un imbécile. On n'a jamais vu de lapin parler !

— Oh oui. Je n'ai jamais aimé le lapin. C'étaient les personnages secondaires qu'on aimait tous. Rupert Ratichon, Phil le faisan, Ollie le serpent…

— Oh, allez. Il avait un col et une cravate !

— Et alors ?

— Alors comment ça tenait ? Un serpent, c'est en forme de tube !

— Vous savez, je n'y ai jamais réfléchi, dit le maire. C'est vrai que c'est ridicule. Il les perdrait à force de se tortiller, non ?

— Et les gilets sur les rats, ça ne marche pas.

— Non ?

— Non. J'ai essayé. Les ceintures à outils, ça va, mais pas les gilets. Ça énervait Pistou. Mais je le lui ai dit, il faut avoir du sens pratique.

— C'est ce que je répète sans arrêt à ma fille. Les histoires ne sont que des histoires. La vie est suffisamment compliquée comme ça. Il faut prendre des dispositions pour le monde réel. Le fantastique n'a pas sa place.

— Exactement », fit le rat.

Et homme et rat discutèrent tandis que la lumière rasante se fondait dans le soir.

Un homme peignait très méticuleusement de petits signes sous la plaque de rue qui disait « Rue de la Rivière ». C'était très bas, presque au niveau du trottoir, et l'homme devait s'agenouiller. Il n'arrêtait pas de se reporter à un petit bout de papier dans sa main.

Les signes ressemblaient à :

Keith se mit à rire.

« Qu'est-ce qu'il y a de drôle ? demanda Malicia.

— C'est en alphabet rat, répondit Keith. Ça dit eau + vive + pierres. Les rues ont des pavés, non ? Les rats les voient comme des pierres. Ça veut dire "rue de la Rivière".

— Les deux langues sur les panneaux de signalisation, clause 193. C'est du rapide. Ils sont tombés d'accord là-dessus il y a deux heures seulement. Ça veut dire, j'imagine, qu'il y aura de tout petits panneaux en langage humain dans les tunnels des rats ?

— J'espère que non.

— Pourquoi ?

— Parce que les rats marquent surtout leurs tunnels en pissant dedans. »

Keith fut impressionné : l'expression de Malicia ne changea pas d'un poil. « Je vois qu'on va tous devoir procéder à des mises au point mentales importantes, dit-elle d'un air songeur. J'ai tout de même trouvé Maurice bizarre quand mon père lui a appris que beaucoup de vieilles dames gentilles du village seraient ravies de l'avoir sous leur toit.

— Tu veux dire quand il a répondu que ça ne serait pas marrant de finir comme ça ?

— Oui. Tu sais ce qu'il entendait par là ?

— Plus ou moins. Il entendait par là qu'il est Maurice. Je crois qu'il a eu son heure de gloire quand il arpentait la table en donnant des ordres à tout le monde. Il a même déclaré que les rats pouvaient garder l'argent ! À l'entendre, une petite voix dans sa tête lui a dit qu'il était vraiment à eux ! »

Malicia parut réfléchir un moment là-dessus, puis elle reprit, comme si ça n'avait aucune espèce d'importance : « Et… euh… toi, tu restes, oui ?

— Clause 9, joueur de flûte à demeure, dit Keith. Je vais recevoir une tenue réglementaire que je ne serai pas forcé de partager avec un autre, un chapeau piqué d'une plume et une indemnité flûte.

— C'est… plutôt bien pour toi, dit Malicia. Euh…

— Oui ?

— Quand je t'ai dit que j'avais deux sœurs, euh… ça n'était pas entièrement vrai. Euh… ça n'était pas un mensonge, évidemment, mais c'était… un peu enjolivé, c'est tout.

— Oui.

— Je veux dire que ce serait plus vrai, au sens propre du terme, de dire qu'en réalité je n'ai pas de sœur du tout.

— Ah, fit Keith.

— Mais j'ai des millions d'amis, évidemment », poursuivit Malicia. Elle faisait, songea Keith, une véritable tête d'enterrement.

« C'est incroyable, dit-il. La plupart des gens n'en ont pas plus d'une douzaine.

— Des millions, répéta Malicia. Visiblement, il y a toujours de la place pour un nouveau.

— Bien, fit Keith.

— Et… euh… il y a la clause 5, dit Malicia qui paraissait toujours un peu nerveuse.

— Ah, oui. Celle-là a intrigué tout le monde. "Un super goûter avec des gâteaux à la crème et une médaille", c'est ça ?

— Oui. Ça ne serait pas une fin réussie sans ça. Est-ce que tu veux… euh… m'accompagner ? »

Keith hocha la tête. Il fit du regard le tour de la localité. Le bourg lui paraissait agréable. Juste de la bonne taille. Un homme pouvait s'y bâtir un avenir…

« Juste une question… dit-il.

— Oui ? fit Malicia d'une petite voix.

— Combien de temps il faut pour devenir maire ? »

Il existe une localité en Überwald où, chaque fois que l'horloge affiche un quart d'heure, les rats sortent taper sur les cloches.

Et les gens regardent, applaudissent, achètent chopes, assiettes, cuillers, horloges rongées main et autres souvenirs qui n'ont pour but que d'être achetés et ramenés chez soi. Ils se rendent ensuite au musée du rat, mangent des ratburgers (garantis sans rat), se payent des oreilles de rat qu'on s'attache sur la tête et des recueils de poésie en langue rat, s'étonnent de trouver des panneaux de signalisation en rat et s'émerveillent au spectacle d'un bourg aussi propre…

Et, une fois par jour, le joueur de flûte municipal, plutôt jeune, joue de ses instruments, et les rats dansent sur sa musique, le plus souvent sur des pas de conga. L'attraction connaît un grand succès. (Certains jours, un petit rat danseur de claquettes organise des revues à grand spectacle avec des centaines de rats en paillettes, des ballets aquatiques dans les fontaines et des décors raffinés.)

On y donne aussi des conférences qui expliquent la taxe ratière, le fonctionnement de tout le système, le village des rats qui s'étend sous celui des humains, le libre accès à la bibliothèque municipale des rongeurs qui envoient parfois leurs petits à l'école. Et tout le monde de s'extasier : c'est parfait, c'est bien organisé, positivement fabuleux !

Puis la plupart des visiteurs s'en retournent dans leurs propres villages, posent leurs pièges et répandent leurs poisons, parce qu'on ne peut pas changer certaines mentalités, même à coups de hache. Mais quelques-uns voient le monde sous un jour nouveau.

Ce n'est pas parfait, mais ça marche. Le truc, avec les histoires, c'est de choisir celles qui durent.

Et très loin en aval, un chat au physique avantageux, dont le pelage avait presque partout repoussé, sauta d'une péniche, suivit nonchalamment le quai et entra dans un gros bourg prospère. Il passa quelques jours à tabasser les chats du coin, à sentir l'ambiance locale et surtout à rester assis pour observer.

Il finit par apercevoir ce qu'il voulait. Il suivit un jeune gars hors de la bourgade. Le gamin portait sur l'épaule un bâton au bout duquel pendait un mouchoir noué, de ceux dont on se sert dans les histoires pour transporter tous ses biens terrestres. Le chat sourit tout seul. Quand on connaît les rêves des gens, on en fait ce qu'on veut.

Le chat suivit le gamin jusqu'à la première borne kilométrique le long de la route, là où le voyageur s'arrêta pour se reposer. Et entendre :

« Hé ! le gamin à l'air bête. Tu veux devenir maire ? Nan, plus bas, petit… »

Parce que certaines histoires ont une fin mais que les anciennes se poursuivent et qu'il faut danser sur la musique si on veut rester en tête.

FIN

Note de l'auteur

Je crois avoir lu au cours de ces derniers mois plus de documentation sur les rats que je n'aurais dû. La plupart des faits réels – du moins ceux qu'on dit réels – sont tellement incroyables que je ne m'en suis pas servi de peur que les lecteurs m'accusent de les avoir inventés.

Les rats sont connus pour s'échapper d'une fosse en recourant à la même méthode que Noir-mat avec le malheureux Jacko. Si vous ne le croyez pas, le vieil Alf, Jimma et oncle Bob en ont été témoins. Je le tiens de source sûre.

Les rois des rats existent bel et bien. Leur naissance reste un mystère ; dans ce livre, Malicia mentionne deux des théories habituelles. Je dois au docteur Jack Cohen celle, plus moderne et déprimante, qui veut qu'au cours des siècles des gens aussi cruels qu'imaginatifs ont eu beaucoup trop de temps à perdre.

Cet ouvrage reproduit par procédé photomécanique
a été achevé d'imprimer sur les presses de

BUSSIÈRE
GROUPE CPI

à Saint-Amand-Montrond (Cher)
en mars 2008

POCKET - 12, avenue d'Italie - 75627 Paris Cedex 13

— N° d'imp. : 80200. —
Dépôt légal : avril 2008.

Imprimé en France